U0149225

文學叢刊

郁丁著

家在山那邊

文史哲出版社印行

國家圖書館出版品預行編目資料

家在山那邊 / 郁丁著. -- 初版. -- 臺北市：文史哲,民 98.08

頁： 公分. --（文學叢刊；223）

ISBN 978-957-549-857-3(平裝)

855　　98013233

文學叢刊 223

家在山那邊

著　者：郁　丁

出版者：文史哲出版社

http://www.lapen.com.tw

e-mail：lapen@ms74.hinet.net

記證字號：行政院新聞局版臺業字五三三七號

發行人：彭　正　雄

發行所：文史哲出版社

印刷者：文史哲出版社

臺北市羅斯福路一段七十二巷四號

郵政劃撥帳號：一六一八〇一七五

電話886-2-23511028 · 傳真886-2-23965656

實價新臺幣三二〇元

中華民國九十八年（2009）八月初版

著財權所有 · 侵權者必究

ISBN 978-957-549-857-3　　08223

作者的話

五四時代的新文學運動，那是在一個特殊時空下的產品。時間上，正是革命黨的二次革命失敗，革命者利用此新文化運動，對抗代表保守派的北洋軍閥，新文學得以在革命者的區域內通行無阻。空間上，中國境內有眾多的租界，那是新文學的根據地與避難所。

所謂新文學，有兩個顯著內涵。一是技巧上擷取來自西方的小說形式，人物性格及內心活動等爲主的描寫。二是內容上，採用寫實手法，澈底擺脫章回式的鴛鴦胡蝶內容。

寫實作品，自古便沒有政治容忍的空間，寫實文學的犯禁，它不是一個時代問題，它是一個文化問題。中國的偉大文學作品紅樓夢之所以斷尾，正是它的寫實內容觸犯了政治的禁忌。作者不敢傳，閱者不敢錄，今傳後四十回，全屬僞作。

收在這個集子裡的幾篇舊作，它們正是觸犯禁忌的寫實作品。除了家在山那邊及阿嬌的困惑，未曾發表，餘則均散見於海外七零年代的報章雜誌。寫作這些作品，延到今天再尋求出版這些作品，既不求名，也求不到利，唯一可以解釋的，它是這個時代的見証，覺得個人有義務有責任，將個人所經歷過的人和事紀錄下來，爲後世者鑑。

于忠是繼長篇作品「芒點」（七十年代雜誌連載，單行本香港天地圖書公司出版）之後，第一個中篇作品，它的原型，是一位好朋友的堂兄，山東省人。待作者滯美二十年後回到台灣，問起他，被告知，他獲釋離開土城感化所後，遭遇更爲悲慘。每找到一份工作，警察便如影隨形，跟踪而至，要求雇用的老闆配合監視，雇主爲免麻煩，祇好請他走人。正當台灣經濟發展，風風火火的七零年代，他卻長期失業，生活陷入絕境。有心再寫一篇后于忠，以誌其人之一生，也是這個時代的側斷面，終因缺乏年青時那種使命感的感情衝動，而無從着筆。

在台灣，軍人是這個社會的邊緣人，從未被納入這個社會組織中。他們被譽爲當代聖人，聖人是什麼樣的人，祇在文字紀錄中見過，當代聖人是什麼樣的一種人呢？他們被教導是當代自由民主的捍衛者戰士，但他們本身的生活又是什麼樣的模型呢，諷刺的是，至少從五零年代到七零年代爲止，長達二十年間，他們被禁錮在軍中，失去人身自由，不得自由退役，失去民主的民權，被剝奪公民選舉權。「山」文所要說明的，正是這些當代聖人的思想與感情。

每次看到中國大陸的春節晚會，他們不但將軍人推上舞台表演，從未忘了對他（她）們的感激、表揚與關懷。反觀我們自己，祇有默默的奉獻，好像他（她）們的存在，與這個社會無關，二十世紀七零年代以前退役的國軍軍官及士官，他們的勛獎章及制服，都被收繳一空，這在全世界的軍制史上，都找不到前例。

百餘年來，中國知識份子的民主追求，其投入與犧牲，史所共鑑，其結果與其付出，爲什麼會大違比例原則。原因出在那？把過程視爲民主的內涵，漏掉了民主的實質，應是中國民主運動的最大繆誤。台灣自李登輝至陳水扁，走過二十年的民主，爲什麼還停留在民主的初級階段。忽略了民主的文化建設，阿嬌的困惑一文，所要表達的，正是從文化的認知，到行爲認同的艱難過程。

從台灣來美國，時空在變，文化也在變，但人的角色轉換，亦如飲食起居，變的速度，何其遲滯緩慢。有的人，甚至冥頑不化，祇有從這種中西文化的直接衝突中，才能清晰地看到，阻擋中國民主運動的人爲因素，除了統治者，作爲民主大眾的平民百姓，在文化的轉軌線上，與統治者同樣有着難以割捨的抗拒性。

人類創造了文化，反過來文化又濡化了人，人便成爲文化的動物。職是之故，人的行爲與思想，便極大地受到文化的支配與制約。「阿嬌」不知不覺地被推到民主文化的轉軌線上掙扎，這不正是百年來，中華民族從封建社會，全面向民主化轉軌的縮影嗎？所不同的是，阿嬌投身于一個已定型的民主社會，定型的民主文化中轉軌，尚且需要經過一番痛苦的折磨與掙扎。而中國近百年知識份子的民主運動，卻是要將一個定型千年以上的封建社會，封建文化，與其本身所受此封建文化的型塑與濡化，轉軌到民主文化和民主制度中去，其難度之大，已不言而喻了。

民主政治決非僅僅是舉手投票，而是全社會的參與，與參與者思想行爲的「法治化」，這是「阿嬌」一文產生的背景與寫作內容。

五篇被歸類爲「小小說」的短篇小說，紀錄了國民政府內戰失敗的某些因素第二十五孝是我對中國女性的失望與期許，曾在朋友家遇到過兩個決然相反的女性，一個甘爲弱者，並以之搏取同情，一個不甘受擺佈，堅持獨立自主。年輕時結識許多台灣風塵女性，她們墮入風塵的一個共同點，是來自家庭的經濟壓力。但最後的沉溺，多數都是放任自己的意志，隨波逐流弄到身不由己。祇有極爲少數的人，不爲現實的歡娛所沒，拔出泥脚，洗滌乾淨，永不回頭，一走了之，其灑脫、剛健、令人激賞。

家在山那邊

目次

兩塊豆腐……一
下餃子……七
逃兵……一二
清鄉……一七
勛章……二四
家在山那邊……三〇
于忠……七一
第三號病室……一〇三
心戀……一二三
第二十五孝……一三一
我結婚了……一七四

DAD與爸爸之間……一八二
阿嬌的困惑……一九二

兩塊豆腐

一九四九年

小可放學回來，屋內靜悄悄地沒一點聲息，正孤疑著家中發生了什麼事，已經一腳踏進大廳的門檻，見母親正坐在面門的方桌旁，桌上堆著一尺來高的鈔票，母親的臉頰有一半埋進了鈔票堆裡，小可興奮地扔下書包叫道：「媽，怎麼這麼多錢啦！」

母親聚精會神地點數著五顏六色的鈔票，聽到小可的叫聲，沒有抬頭，祇淡淡地說道：「小可，你過來。」

小可兩眼直勾勾地走近桌邊，心裡面卜通卜通地亂跳，他幾曾見過這麼多大額的鈔票，面額最小的也在千元以上，這是他兩天的午餐費。他小心仔細地捧起一疊疊鈔票，放到嘴唇邊去聞吻，新鈔上的油墨味雖然不好聞，但看著鈔票上印著的數目字五千一萬，五萬十萬，不由得小腦袋裡，轉著各式各樣的念頭。回力球鞋、筆記簿、乒乓球拍，或者更幸運一點，買一輛自行車，上學時可以大大地拉風了，想著想著小可竟自打心底裡笑了起來。

母親看到小可的神情，已猜想到小可在想什麼，道：「這是你爸爸機關裡發的遣散費，過幾天我們全家人要去廣州，你爸爸已經下鄉去接奶奶，他要你明天去中央銀行兌換銀元，吃過晚飯，你就帶塊油布去排隊，明天一早我把錢送來給你。」

小可指著桌上的鈔票大聲嚷嚷道：「統統把它換成銀元嗎？」

「時局這麼壞，誰也不知道明天會變成什麼樣子，不趕緊把它換掉怎麼行。」

小可故意作難道：「媽；我不會換，要去你自己去。」

「我一個婦道人家，怎麼能出去拋頭露面，你初中都快畢業了，連這一點事都不能做，丟不丟人啦？」

「人家不知道怎麼換嗎？」小可噘著嘴強辯。

「據隔壁吳媽媽說，今天的牌價是三百萬元兌換一塊銀元，這裡是一億伍仟萬元，最少要換五十塊銀元，知道嗎？」母親一邊說，一邊將鈔票放進一隻大麵粉袋裡。

「乖乖一億伍仟萬。」小可驚異地吐吐舌頭。

母親不再說什麼，裝好鈔票即起身去做晚飯。小可提前吃過晚飯，提起母親爲他準備的水壺，挾塊油布就走了。還差一條街到達中央銀行，排隊等待兌換銀元的人牆，已經黑壓壓地展築了過來，小可三步併兩步地搶上前去，在人牆的末端佔上一個位置，將油布鋪到地上作好過夜的準備，待他站起身來往後覘望時，人牆又已築過另一條街去了。小可不想聽人們談論幣值的今天或明天，他還不具備那種接受成年人焦慮的感染力，倒是讓他想起了才不過幾個月前，也是排隊等待的經驗，祇不過那次是揹著銀元來換金元券，人們懷著興奮與信任，用自己的積藏來支持政府的幣制改革，手裡提著的都是沉甸甸的硬幣與黃金，換取薄薄的紙幣。小可的舅舅是個守法的殷實商人，爲了響應號召將積存全部兌了金元券，那是小可生平第一次進銀行，祇覺得銀行的工作很神氣很威風，單是那高不可攀的櫃檯，就令小可羨慕不已。那次人們手提的都是小布包，今天人們提著的，不是白布縫的麵粉袋，就是裝米用的大麻袋，裡面裝的當然是綑綁整齊的金元券了。

入夜以後，行人幾乎已經絕跡，因爲街道上出現了全副武裝，荷槍實彈的士兵，每隔二三十公尺，便站著一個，夜已經夠黑，他們還躲到暗處，遇到行人經過時，才從暗處跳出來大吼一聲，嚇得人魂飛魄散，故不是有急事的人，天黑之後便不敢出門。排隊等待的人牆也開始靜下來，偶爾也會發生一些小騷動，大都是因爲人牆秩序上發生了爭執，有人想趁機插隊，有人不肯，理屈的一方往往惱羞成怒。這時候便會引起武裝同志的注意，甚或用槍托來橫加干涉，制止雙方的爭執。說也奇怪，這些人吵鬧時，不管如何粗暴兇戾，祇要荷槍的武裝同志出現，風波很快便會平息。

小可夾在人牆裡面，不敢隨便移動，半夜裡他被小便脹醒了，這個時候店家都緊閉著大門，又不好意思當著這些人臨街小解，又耽心跑遠了被別人佔去地盤，真是急得他六神無主。幸虧他身邊的一位老大爺發現了他的窘急神情，究明原委，答應爲他看住油布，他像獲赦般地跑進對街的巷子裡，扯開褲子撒了個痛快。

天剛發白，人牆便開始了蠕動，後面的人浪向前倒壓過來，迫使人們蝸蝸地向前移動。小可隨著人潮，像蝸牛般向前挪移著腳步，人與人之間，擠得前胸貼後背，後背貼前胸，一種屬於自己的也是別人的氣味直衝腦門，幸虧這天天氣轉涼，又括了點風，否則，一定會有許多人被薰倒。約莫七點左右，母親給小可送來早餐和麵粉袋，待小可匆匆吃完，母親又千叮萬囑，便拎著油布回去了。

九點快到了，人牆又開始波動，原本是一路縱隊的，轉瞬間變成三路四路，最後亂成一團糟。九點二十分，第一個擠兌的人捧著幾塊四川龍版，走出了中央銀行的大門，人們放下懸在口裡的一顆心，昨晚的謠言，政府停止兌換金元券，這會兒已不攻自破。人們對這個手捧四川龍版的人，都投以羨慕與感激的眼光。隨著這幾塊四川龍版的出現，又傳出一個不爲人樂道的消息，那就是今天銀行的兌換率，已改爲兩千萬元金元券兌一塊銀元。人群裡面發出了咒罵聲，小可心裡面估算著，媽媽指望的五十塊祇剩下七塊半了，回家會不會挨罵。

小可祇覺得向前擁擠的浪頭更爲洶湧，那個自昨晚延續而來的焦慮與惶恐，隨著滿天飛的謠言在增高，尤其是老於世故上了年紀的人，已經開始作撤退的打算。約莫十點左右，前面的人潮忽然掀起了波動，正如山洪爆發般，轟轟隆隆，聲浪越來越大，漸漸地，已分不出是一種什麼聲音，人們成群結隊的向四面衝擊過去，街道兩旁剛剛開市的店舖，又紛紛搶著關上門板，人們開始由搶購變爲搶劫。有幾家動作較遲鈍的店舖，瞬息之間被洗劫一空，人們把盛在麻袋裡的金元券，像抖虱子似的都抖到地上，儘著麻袋裝走了他們能夠搶到手的東西。

小可身不由己地先被擠到中央銀行的大門口，祇見兩扇黑漆大鐵門關得緊緊地，上面貼著一紙佈告，墨跡淋漓，大意是奉上峰命令暫停收兌等語。小可的腳步一刻也沒有停留，隨著人潮湧到東，又逐到西，最後他被擁進一家碾米廠的大門，他剛跨進門檻，覺得自己的腳掌高一腳低一腳，踩在什麼東西上面，掙扎著低頭一看，天啦！滿地都是綑綁得結結實實的鈔票，有些還是嶄新未開封的，他揀了一疊五十萬元面額的揣進口袋裡，隨後又搖搖頭，仍舊揀出來扔到地上，一頭鑽了出去。

這時候小可心裡面也有了打算，不再隨著人潮亂擠亂闖了，他儘揀些小街小巷蹓躂，遇有店舖未關門的，便湊上去看個究竟。他走了幾條街之後，發現人們都走得很慌急，好似家中失火一般，祇要是還開著半扇門的店舖，早巳是物盡人空的了。他這樣漫無目的的走了一陣，覺得應該回家了，忽然記起了母親的囑咐，帶幾塊豆腐回去，他先找到附近最大的一爿豆腐店，門板緊緊地閉著，他用力地敲門，老半天才聽到小伙計從門縫裡透出一聲粗話來「失火啦！撞你娘的蛋。」

「阿盛哥，我是小可。」

那個被叫著阿盛哥的小伙計，這時也聽出了小可的聲音，變得和氣地說道：「小可，你別打主意啦，我們連豆腐渣都被搶光了。」

「連一塊豆腐都沒有了嗎？」

「你去杜公公那邊看看，碰碰運氣吧？」

小可聽罷掉頭往杜公公的店裡跑，他一邊敲門，一邊大叫杜公公。一陣咳嗽，一個蒼老的聲音從門縫裡傳了出來，問道：「是誰呀？」

「我是小可，杜公公。」

一扇板門慢慢地打開了，蒼老的杜公公讓小可進到店裡去，迅速地重又把門關上。

「杜公公，您店裡還有豆腐沒有？」小可焦急地問道。

「小可呀！這豆腐，豆腐——？」老人家喃喃地不知如何是好？

「老頭子，咱們勻兩塊給人家吧，小可他們家也是老街坊了。」坐在灶後的白髮婆婆說道，她正在燒火。

老人家點點頭，隨手遞過一張荷葉，白髮婆婆接過來走向裡屋裏去，當白髮婆婆起身的一剎那，小可才看清她是蹲在灶下燒火，幾根木柴後面，高高地堆著大捆大捆的鈔票，他稍一遲疑，毅然打開自己拎著的麵粉袋，老人家還沒來得及阻止，他已把袋裡盛的鈔票，全部抖在柴堆後面，接過白髮婆婆手中用荷葉包的兩塊豆腐，打開門一溜煙地跑了。

下餃子

一九四八年

離城十餘里的觀音山下，有一條小溪，溪旁佇立著一棟茅草搭蓋的獨立家屋，一明兩暗，很標準的江南鄉下住屋，屋前通溪流的路邊，挖了一口池塘。主人是一對相依爲命的母子，母親打三十餘歲就守了寡，靠著丈夫留下的幾畝菜地，和那口池塘，與剛滿十二歲的兒子——七狗子，過著半溫半飽的生活。

七狗子也打從他父親過世那天開始，每天挑著地裡出產的菜蔬，或池塘裡出產的魚蝦，天未亮登程，趕往十幾里外的縣城去兜售，然後換些糧食或日用品回家。這樣匆匆過了十年，母子倆從漫天的抗日烽火中，又被捲進內戰的騷亂裡。雖說戰事還沒有漫延到江南來，但各式各樣的運動，像大江裡的浪頭一樣，一波過去了，一波又被掀起。七狗子由十幾歲的孩子，轉眼已茁壯成結實有力，堂堂七尺的男子漢，老母親看到這顆含辛茹若的果子的成熟，口裡雖不說什麼，心眼兒裡卻是著實高興著的。正盤算著再過個一兩年，手邊積蓄更多一點，也就可以託人說房媳婦，抱個孫子以娛晚年了。

這一天的黑早，七狗子挑著一擔新鮮魚蝦，循例趕往縣城而去，老母親嘮叨著囑咐了許多謹慎小心的叮嚀話，七狗子也不斷地應承著，以釋老人家的憂心。天色剛朦朦發亮，七狗子已踏上縣城的街市，覺得肩膀上的擔子越挑越重，便走到臬臺衙門圍牆的告示欄下，肩膀一溜，歇下擔子。他一手執著扁擔，轉頭向四週睨睇一圈，樣子鬆脫極了。這時候正有幾個穿學生制服的青年，面向告示牌粘貼著一些招告式的標語，七狗子不認識字，對那些標語不甚留意，倒是幾個青年學生中的一對男女，使七狗子很是羨慕。先說那個女的，一張瓜子臉，單鳳眼，高鼻樑，薄嘴唇，左頰一顆黑痣，她跟那個男的一邊貼標語，一邊高聲地叫著口號，什麼「反X餓，還反X戰？」神態既激昂又歡暢。再看那男學生時，七狗子心裡有著一種說不出的什麼滋味，單是他那一雙大而黑的眼睛，便令七狗子覺得，任何人看到了都永遠不會忘記的，也會喜歡他的。當他貼完標語轉過身來看到七狗子時，還曾沖著七狗子友善地一笑，七狗子沒來得及反應，祇傻愣愣地看著他們走遠了，才像忽然想起了什麼，自個兒訕訕地一笑。一陣紅暈不自覺地襲上七狗子的臉頰，他好似覺得自己做了什麼壞事，挑起擔子急急地跑了開去，七狗子跑是跑開了，但跑不開由心底裡昇起的幻想與羞慚。

七狗子正自怨自艾地埋著頭緊走緊趕，擔子的後梢忽然被一股大力拉住了，一陣搖晃，幾條活不溜丟的大草魚被晃出盛了水的木盆，在泥地上蹦跳著打滾，七狗子迅速地放下擔子，搶著去抓泥地上的魚，他剛蹲下身，有隻大手拎住他的衣領，用力將他向上提，他正要開罵，轉頭一看，他的兩條腿突然站不住戰抖起來。原來拎著他衣領的人，右手還端著一支衝鋒槍，槍口正對準自己的胸膛，七狗子駭呆了的嘴，下意識地掀合著，像個垂死的蚌殼，還在那一掀一合地掙扎。那個端槍的軍人將頭一擺，就另有兩個揹長槍的軍人走了過來，一個接過七狗子的擔子，一個用一根拇指粗的麻繩，將七狗子捆了個結實，行人都駭得躲了起來，七狗子被推進端槍軍人身後的一堆人裡，他這時候才看到，那群人也都是被五花大綁的，看樣子也都是跟自己一樣，從縣城附近的鄉下來趕早市的。

七狗子一夥被帶進了臬臺衙門，關在一間沒有窗櫺的房間內，外衣都被剝光了，房內堆著幾捆稻草，初春的江南，雖不若北方的酷寒，也夠峭寒刺骨的了。大家不敢出聲，祇靜靜地窩在草堆裡，開飯時，由被指定的人，穿上衣服，被槍押著出去，抬進一個木桶來，裡面盛了半桶稀飯，每人可以分到一碗，飯後，還得負責收拾，然後脫下衣服，交回看守的人。房內放著一個糞桶，供全體人員的排泄，每天清晨，也是由被指定的人去清理。這樣地過了一個星期，七狗子這批人開始有了制服，每天上午，在四面都是槍兵的監視下，出操學習軍事。

換過制服的第三天晚上，半夜裡有人哭喊妻兒的名字，把整棟房子都驚動了，集合場因此響起了集合號音，所有的人都按秩序，到集合場集合，聽長官訓話。話是對全體說的，他引述國父中山先生的話說，革命軍人是不要身家性命的，祇有革命意志不夠堅定的人，才會想家，末了，他要求大家要堅定革命信心和意志。在軍中這叫做機會教育，趁著有人想家講述革命的大道理。這些個被欄路搶劫來的人，包括七狗子在內，連國父孫中山都不知道是何許人，還能懂得什麼是革命嗎？那個倒霉的想老婆的傢伙，被罰打了一頓屁股，自那以後，再也沒有人敢半夜裡叫喊了。

代之而起的是耳語的議論，開始的兩天七狗子不明就裡，祇心裡面犯嘀咕。這一晚竟然有人來跟他商量，事情是這樣的，據有經驗的同夥勘察，他們住的這個房間，原是個馬廄，後來加上圍牆，改成庫房，靠東的一面磚牆，正是臨街的一面，牆磚因年月已久，早都風化了。祇要大家齊心協力，把小便都灑到牆上，不消幾天，牆磚就可以鑿通了，到那時候大家也就都有了生路。

決定逃亡步驟後的第五天中午，七狗子一夥人被叫出去，兩個手持蔴繩的士兵侯在門外，每出去一個，他倆便熟練地綑住腰身，像串香腸似地，每隔五公尺便串上一個。全體都被綑好了，兩個士兵便一人握著一個繩頭，牽上了十輪大卡車，開到城郊的一個山上，那兒早已放置了許多圓鍬和十字鎬，土山的頂端，也已用石灰標出一個二十公尺大小的四方圖形，圖形的外圍，環繞著一圈持槍的士兵。七狗子一夥被命令沿著白線圖形，挖下一個十五公尺深的方形大坑，工作延到天黑以後方始完成。

吃過飯，休息沒多久，又開來一輛十輪大卡車，上面都是穿學生制服的男女青年，司機將車的尾部倒到土坑邊，後欄板被打開了，學生們開始鼓噪，有的人甚至企圖跳車，一個士兵熟練地將一根繩頭，拋到土坑對面站著的軍官手裡，他不待學生們開始行動，使盡氣力地將繩子往自己方向拉過去，一個青年學生被拽落土坑內，那根繩子竟是繫在他的左手腕上，就在他側身被拉下的一瞬間，緊靠在車尾邊的七狗子，瞥眼見到他的臉孔，他分辨不出那是一張什麼樣表情的臉，但有一點他是可以確定的，正是那個貼標語的男學生。他的右腕與另一個學生的左腕綁在一起，那個學生也身不由己地被大眼睛學生拖下土坑去了，就這樣一個接一個地，一車人都被卸下了土坑。倒在七狗子腳下土坑裡，仰面朝天的一個女學生，啊！天啦！怎麼會是她，那左臉頰上的黑痣，耳邊又響起她那天喊過的口號，七狗子腦子裡迅速掠過那天的幻想與羞慚，又不自禁地低下頭去與她的眼光一接，七狗子不自覺地打了個冷顫，木然地跟著舉起手中握著的圓鍬，一鏟，兩鏟，將剛從土坑內挖出來的鬆土，又都覆蓋到那個土坑上，後來又木然地跟著上了車，直到回到臯臺衙門，聽到長官訓話，才使七狗子恢復清醒，那批被稱爲「下餃子」的學生，原來都是逃兵，逃兵是犯法的。

逃兵

一九四三年

鴨王莊是個百數十戶人家的小村莊，人們除了種田，還善養鴨子，數量之大，養鴨人家之多，遠近馳名，故以「鴨王」爲村名。據說祇有在黃巢作亂時，這兒有過兵荒馬亂，鴨王莊的人世世代代不知道有戰爭，就是連土匪，也祇在評書裡聽過「水滸傳」。

一天，忽然開來許多糧子，給鴨王莊帶來了熱鬧，也帶來恐懼。鄉下人沒見過世面小孩子放下泥沙，男人們撂下鋤頭，女人們丟下針線，老年人含著旱煙袋，老婆婆們蹣跚著小腳，都趕來觀看。幾十個腳下穿著麻鞋，身著灰色棉軍服的人，疲憊而頹喪地聚在「王翰林」家，門外的槐樹底下。一個軍官指手劃腳地說著外鄉話，鄉下人聽不很懂那些話的內容，卻好奇地談論著這群人的穿著打扮，大熱天裡還穿棉衣，儘管掏空了棉花，人人臉上還是汗流如注。訓話的人兀自滔滔不絕說個不停，老年人耽心他們會「中暑」，年青人說他們「打擺子」，小孩子笑他們是「瘋子」。

鄉下人失去了好奇，開始不安或叫嚷起來，有的人甚至被糧子打了，各家的門板或廚房用具，都被糧子們強迫借用。整個鴨王莊在半個小時內，沸騰起來，「甚麼他媽的你的我的，日本鬼子來了，連命都是人家的。」鄉下人雖然聽不大懂那話的意思，單看說話的神氣，也能猜出個十之八九，大慨不是什麼好話。這樣直鬧到煞黑，鴨王莊才歸于平靜，人們各自找到相好的人聚在一起，借著如豆的油燈，討論白天發生的事。情緒很激動，但話聲低到祇有對面的人才聽得見，老年人嘆著氣，緬懷著皇帝時代的清平景象，把希望寄托到真命天子的出現。年青人討論著鎮上傳來的消息，日本鬼子已打到了辛家渡，下去六十里的縣城，已經聽到炮聲，聽說日本鬼子來了以後，可以吃到便宜的鹽，穿便宜的布。

王翰林家的長工永發，當過兵，吃過糧，見過世面，這會子成了鴨王莊的時事顧問。據他所知，這一伙人是中央第X軍的部隊，剛從火線上下來，到這裡接收新兵，整補後還要上前線。

「永發哥，這新糧子要從那裡補充呢？」一個青年憂心地問道。

「你放心，一定是從外縣來的。」永發胸有成竹地說。

「爲什麼？」青年人還是有點憂疑地問。

「怕本鄉本土的人開小差。」

「永發哥，這些人爲什麼大熱天裡還穿棉襖，他們不怕熱嗎。」一個少年好奇地問。

「當年我當糧子的時候，十二月天裡還穿過單衣呢！」

「爲什麼？鍛鍊嗎？」另一個少年也引起了興趣。

「蠢傢伙，做糧子要有好的體格才能打仗，要有好的體格，平時就得段練，這就叫訓練，叫他們不怕熱也不怕冷，永發，你說是吧。」一個中年人得意地訓斥道。

永發見人家問到自己頭上，一時間答也不好，不答也不好，祇得尷尬地笑道：「對，對極了，正是三叔說的那樣子。」

幾天後，一個軍官領著好幾十個人，荷槍走出了鴨王莊，直到傍晚時分，押著另幾十個赤腳衣衫襤褸的人，回到了鴨王莊。鄉下人以爲被押解的人都是犯人，後來才知道是接收來的新糧子。新糧子一個個背翦著雙手，一個連一個地串連成一條直線，兩旁是荷槍穿制服的糧子，槍上還插著亮幌幌的刺刀。好事的孩子們從四面八方湧過來，有那大膽的，遠遠地跟在後面，那膽小的便躲到母親懷裡，從腋下露出兩隻好奇的眼睛偷看，兩隻小手還死命地抱住母親的腰身。天黑以後，議論在永發的主持下進行。

「永發，今天，糧子從那裡押來那麼多的犯人啦？」

「三叔，那不是犯人，是新糧子。」

「凡是新糧子都要五花大綁嗎？」

「滿爹，怕他們逃跑呀。」

「那年我到省城裡，見過犯人，他們做工的時候，就都是那樣子被綁著。」

「這些人都是剛接來的新糧子，決不是犯人。」

「那他們怎麼睡覺呀？」

「到了房子裡面就鬆開了。」

「就不怕他們逃跑了嗎？」

「當然怕囉，怎麼不怕。」

「那還跟他們鬆綁？」

永發苦笑道：「如果他們身上都沒有穿衣服，還能跑嗎？」

「永發哥，你怎麼知道他們會被拔光衣服？」

「這叫做經驗之談，你永發哥不是也吃過糧嗎。」

那些新糧子來到鴨王莊的第三個晚上，永發帶給鄉親們一個驚人消息，新糧子中竟然有人開了小差，而且人數多達十幾個人。這一夜，狗叫得很是厲害，好像整晚上都有人在大路上走動，到了下半夜，一聲聲悽厲的叫聲，打從王翰林家的院牆內傳出來。人們開始意識到有事情發生了，小孩子從熟睡中被驚醞，也和著那叫聲哭喊起來，做母親的緊緊地抱住孩子，瑟縮在丈夫的身邊，顫抖著，喃喃地唸著救苦救難觀世音菩薩。老年人咳嗽著爬到窗口，湊到窗底縫裡向外覘望，除了星星與月亮，甚麼也沒看到。

那聲聲的悽厲慘叫，好似一個受刑人受不住刑罰的煎熬，聲嘶力竭地向遠方的親人求救，噬心地散播在夜空裡，久久不歇，格外令人驚悸。又好似招魂的鬼叫，令人毛骨悚然，不寒而慄。

清晨，人們正忙著一天的開始，孩子們即蝟集在王翰林門前的大槐樹底下，手腳敏捷的早已爬到樹枝上，藏在樹身後，從濃蔭密葉縫隙中，向院牆內窺探，那院子裡有兩棵雙人抱粗的大百果樹，樹上弔著兩個僅穿短褲的男人，兩人都是一般地反剪著雙臂，一根大麻繩，繫住反剪的兩隻手腕，虛懸在半空裡，整個人的重量，都落在兩臂和兩腕上，大腿以下，儘是被皮鞭抽出的紫色血痕。樹上的孩子們把入眼的實情，一樁樁，一件件，敘述給樹下的孩子們聽。好事的早已飛奔著回去，轉告給大人們知道，漸漸地，大人們也向王翰林的門外聚攏過來。這個平靜了幾百年，不知有犯罪，不知有法律，不知有懲罰的小村莊，雖然知道皇帝的年號改了，現在叫民國，但這些對於鄉村人民，既是遙遠的，也是不相干的。而眼前這些穿灰棉軍服的人，所帶來的，卻是事實，伸手可以觸摸到的那弔在樹上的人，和那兩人身上的血痕，才使得這些鄉愚婦孺們意識到，當真是改朝換代了。

下午，又有兩個穿灰棉軍服的糧子，繩綑索綁著一個新糧子回來，他們走進王翰林家的院牆不久，集合的號令響了，所有穿灰棉軍服的人，都成幾排站好，一個軍官開始訓話。那個剛被抓回來的新糧子，戰慄地單獨站在隊伍的前方，軍官說完話，便有一個高大的糧子，握著一根竹製扁擔，照著那個被綁的新糧子的屁股，狠狠地劈去，打了幾下，祇聽到嗤的一聲，新糧子站立的地上，赫然現出一推黃沉沉的東西來，他跟著倒了下去。那握竹製扁擔的糧子下意識地用鼻子嗅了嗅，顯出一付惡心的樣子，走開了。

晚上，在眾鄉人的環視下，在岑寂的沉默中，永發報告了另一個消息，原來那被弔在樹上的，和被竹製扁擔打的，都是逃兵。

清 鄉

一九四九年春

整條街都駐紮有部隊，駐紮的人數，視各家所餘空間的大小而定，靠街首的周家，是家大戶，駐紮的人數也最多，階級也最高。一天早晨，周家老主人起來，突然覺得鴉雀無聲，那些整天操三丟四的士兵，一個都不見了。周老爺先是有些奇怪，隨後他歡天喜地地把家人叫了出來，命子弟們將士兵們卸下的門板，通通裝回去，自己還前屋察看到後屋，走到廂房屋簷下，見裡面還留得有人，就著窗口，「喂！我說官長，你們的人呢？」

「去五子壩清鄉掃蕩去了。」一個軍官信口回道。

「你說什麼？去五子壩清鄉掃蕩，那裡出土匪了嗎？」

「對了，五子壩發現了土匪。」那人漫不經意的說。

周老爺一聽五子壩鬧土匪，心裡面著實很憂急，心想自己的田產全在五子壩一帶，那兒鬧土匪，那今年的收成不全完了嗎？這時候令他想起平日讓人厭惡的士兵們，拿東借西不講道理，但他們去了五子霸清鄉掃蕩，真是萬幸，土匪是打不過他們的。他一邊沉思遐想，一邊唸著南無阿迷陀佛，保佑那些士兵們馬到成功。

過了幾天，士兵們終於回來了，看他們那樣開心地大吃大喝，嘴裡還不斷地咒罵頻頻。周老爺給弄糊塗了，士兵們平日生活清苦，這會子每飯必雞鴨滿盆，應該是得勝班師，但他們嘴裡的咒罵，明明又是極爲憤慨的樣子。周老爺終於忍不住向一個士兵打聽，那士兵說土匪不經打，他們還沒到五子壩，人家就逃走了。周老爺心下歡喜，想著平日裡從未正眼看過這些士兵，今天虧得有他們，否則，今年地裡的收成，真不堪設想。爲表示對士兵們的感激，他主動把鍋盆瓢碗，一應廚房用具，甚至自己家煮飯用的爐灶，也讓了出來，讓給士兵們燒雞煮鴨。平日不准孩子們跟士兵搭訕的戒條，這會兒也放鬆了不少。一個士兵蹲在堂屋階級上，跟大孫子談打土匪的經過，自己不願參與，但卻豎起耳朵，遠遠地諦聽。

周老爺的孫子名叫興旺，在縣立中學唸書，正是充滿好奇的少年人。這天他見祖父高興，料著不會禁止自己與士兵攀談，他大著膽子拉了個傳令兵，問道：

「五子壩的土匪到底有多少？」

「誰知道？我們還沒到地頭，他們就跑光了。」

「那你們不是連一個土匪也沒有打到？」

「誰說不是，不過也很難說。」

「爲什麼？」興旺詫異地問道。

「我們團是第三批到達五子壩的部隊，也許先頭團，他們跟土匪有過接觸，也說不定。」傳令兵解釋道。

「你們一共去了多少人？」

「一個師。」

「每次打土匪你們都是做第三嗎？」

「打土八路，王八龜孫子才願意做第三。」

下午，興旺正要出去找同學，剛走出大門，見到自己家的佃戶張七爺，趑趄在大門口的街道上，他迎上去叫道：

「七爺爺你好，爲什麼不進屋裏去呀？」

張七爺見到興旺，一把拉住他的胳膊道：「興旺，你來得正好，我是來看你爺爺的，他老在家嗎？」

「爺爺在家呀，你老爲什麼不進屋裏去呀？」

「你們家幾時有人做官了？」張七爺跟隨興旺進了周家大門。

「沒有呀！」

「那爲什麼門口有槍兵站崗？」

興旺笑道：「張爺爺，你老沒看到這條街都住了兵嗎？我們家住了幾個大的，叫團長什麼的，所以有人站崗，他們剛從你老那兒打土匪回來。」

「興旺，你是說，這幫人剛從五子壩打土匪回來。」

「可不是，爺爺說若非他們了得，今年地裡的收成就全完了。」

「真是全完了，這一群強盜。」張七爺口裡含混地罵道。

興旺把張七爺帶進他爺爺日常坐息的堂屋內，周老爺一見來人，立即起身迎上去，急道：「七爺，你來得正好，家裡沒事吧？」

「唉！別提了，老爺，完了，全完了。」張七爺一臉憂急地道。

「怎麼會完了呢？土匪不是被他們趕跑了嗎？你倒說說這是什麼回事。」周老爺焦急地將上身湊過去，扳住張七爺兩條臂膀。

「老爺，我們換個地方說話行嗎？」

周老爺看看堂屋外面人來人往的士兵，點點頭道：「好。」說罷率先走向自己的臥房。

兩個老人已來不及謙讓，各找了一張椅子坐下，興旺接過佣人送來的兩杯茶，周老爺示意他關上房門，張七爺見一切都已妥當，才壓低聲音對周老爺道：

「老爺，你知道這次五子壩鬧土匪是怎麼一回事嗎？」

「我正要問你呢？」

「你老還記得胡大的兒子小順子吧？」

「他不是當了鄉自衛隊長嗎。」周老爺回憶著。

「可不是，禍事就出在這個自衛隊長身上。」

「難不成，小順子他——？」

「你老先別急，聽我說，小順子當自衛隊長之前，鄉公所裡祇有幾枝破槍。小順子不是當過兵吃過糧嗎，聽說他省裡有人事，一上來就從省裡搞來幾十根長槍，還有盒子砲、小鋼砲，鄉自衛隊也由幾個人，擴大到百十來人。」

「看不出，小順子還真不含糊。」

「所謂樹大招風，老爺，小順子這麼使勁的幹，給地方上著實做了不少的事，那會子的確是宵小斂跡，地方上安靜的很。」

興旺指著茶几上的茶杯道：「張爺爺你老先喝口茶潤潤喉嚨吧。」

「多謝，」張七爺呷了口茶，目注興旺稍頃，鄭重地道：「興旺，你是讀書人，這事兒你也得評評理。」又呷了口茶，續道：「那小順子幹得正好的時候，鄉長，那小順子的堂哥。有一天忽然把小順子叫去關了起來，說小順子私通八路軍，這全是些胡扯蛋。大家都知道小順子家裡跟他堂哥那口子，妯娌間不和，小順子骨頭又硬，平日就不把他堂哥放在眼裡，這會子眼見自衛隊肨了起來，他堂哥想要換掉他，讓自己的連襟來抓槍桿子，胡亂給套個罪名，報到縣裡，他堂哥事先也不想想，這殺頭的事，可不是胡謅得的，縣裡也糊塗，不問青紅皂白，一紙公文下來，叫把小順子一刀砍了。這就惹惱了小順子那班手下，當下就劫了牢，放了小順子，大夥兒一聲呼嘯，就這麼著拖上了山。上了山也沒什麼，小順子也沒真箇造反，還曾託人跟他堂哥求情，他堂哥見勢頭不對，趕緊差人到縣裡告急。」

「原來這麼著，這小順子的堂哥真是該死，放著個好好的小順子不用，卻還害他。」周老爺氣忿不平地說。

「誰說不是，他這麼一胡攪，搞得我們片瓦無存。」

「你說什麼？」周老爺不敢相信地問道。

「老爺，唉！今年這田，我－－我種不下去了。」張七爺老淚縱橫地說。

祇聽叭噠一聲脆響，周老爺一掌拍在茶几上，罵道：「這小順子也未免太過火了，地方上的人又沒犯著他，幹什麼要搞得大家都活不下去，真是豬狗不如的東西。」

「老爺，這不能怪他，他擋不住人家人多。」張七爺解釋道。

「你還替他說話哩！小順子若不是作惡多端，人家會去剿他嗎？你且說說，這田今年爲什麼種不下去了？」周老爺愈說愈有氣，愈氣也愈害怕。

「不瞞你老說，我什麼都沒有了。」張七爺把兩手一攤，一副無可奈何的樣子。

「小順子的心也太狠毒了。」

「我剛才跟你老說過，事情雖然出在小順子拉人上山，但卻也怪不得他。」

「你把事情說清楚些，別這麼拖泥帶水的，叫人著急。」

「小順子拉人上山的消息傳到縣裡，當天晚上第一批中央軍就開到了五子壩，他們開來幾十輛大卡車，派人挨家挨戶去收糧食，爲了實行什麼清鄉政策，不給土匪留一粒糧食，我倉裡的一百多擔谷子，統統給裝走了，臨了，給了一張收據，你老看。」張七爺將手上執著的收據遞了過去。

周老爺接過來一看，口中不禁重重地「哼」了一聲。

「這一批過去以後，又開來第二批，他們自稱是來掃蕩小順子那一批人的，也是說要實行清鄉政策，那時候我倉裡連下種的谷子都沒有了，他們認爲豬牛也可作爲糧食，決計不能留下，有的宰來吃，有的也裝上了大卡車，我家老二狗子，爲著那條牛，差點沒被他們打死，硬說是狗子跟八路有連絡，一定要槍斃他，幸虧保長李四爺來得快，才留下狗子的一條狗命。」張七爺說到這裡，手上端著的茶杯蓋子不住地簌簌作響，兩眼凝神地瞅著緊閉的房門。

「這群狗日的東西。」周老爺也輕輕地罵了一聲。

「第三天晚上，又開來第三批。」張七爺嘶聲地繼續道：「我想反正家裡已沒有了糧食，豬牛也清光了，已沒得再清的了，率性將大門敞開，儘著他們去清罷，這一起人見我家中沒有任何值錢的東西，很是氣忿，雞鴨被他們清光不說，水車跟犁都被他們燒水煮飯燒得精光，你老看，這田，我還種得下去嗎？」

周老爺的臉色極是蒼白，半響說不上話來，突然把兩眼一睜，大聲吼道：「興旺，今晚不准那起傢伙到我們家來燒雞煮鴨了。」

勛章

一九四九年三月

白水——湘桂路上的一個小站，這兒的公路橋，毀於抗日戰爭的炮火下，一直未能恢復，僅靠著一艘渡輪，維持著來往車輛的交通。等候渡輪的車輛少說點也有三百輛以上，大部份都滿載著軍用物資，或搬遷的工廠設備，這些都是準備撤往大後方的。季昆隨同家人也擠在這個撤退的行列裡，司機關照大家在一爿經他選定的客棧住下，以便開車時隨時招呼大家登車啓程。季昆家共五口人，祇分到一間房，還是個軍人讓出來的，小妹跟爸媽睡床，他和大妹兩人打地舖。一家人忙了好一陣，總算安頓好住宿，客棧裡沒有火盆，爸媽帶著兩個妹妹坐到床上，把腳暖在被窩裡扯閒天。季昆獨自一個人蹓躂著走到飯堂裡看熱鬧，天下著連綿不斷的春雨，路上泥濘不堪，有些地方一腳踏下去，爛泥可以到達膝蓋，真是應了俗話說的「寸步難行」。

季昆的目光無目的地在飯堂裡覘望，忽然觸眼看到一個人的背影，那不正是剛被客棧老闆趕出房間，讓給他們一家住宿的那個軍人嗎。他的穿着，從頭到腳可說是一個豪奢型的軍人，全身都是美式裝備，軍黃色羅斯福𠳐軍便服，外罩一件軍黃色粗厚套頭毛衣，右手上拎着一件既厚且重的軍黃色𠳐大衣，左手拎着一個軍綠色帆布袋，左脚上穿的也是美式軍靴。別說是在內陸的這個小鎮上，即使是放到中國的最大城市上海市，也會顯出他的與眾不同。回想他步出房間時，右腳一巔一巔的困難樣子，季昆心中感到一陣歉疚。同時，少年人心性，同情之心油然而生，他走到那軍人身前叫道：「同志！」他見那人滿臉疑惑地瞧著自已，一陣心跳，季昆感到了自已的唐突，便接不上話來，臉頰也感到火辣辣的不是滋味。

那軍人見了，倒不見怪，稍稍挪動一下身子，沖著季昆點點頭道：「要不要坐下來聊聊？」

季昆依言坐下，結結巴巴地道歉：「真對不起，把你趕到外面來了。」

那軍人先是一陣紅暈，隨即鎮靜地淡淡說道：「那是應該的，你們家有女眷，何況——？」何況什麼他沒有再說下去。

季昆立即想到他被趕出客房的緣由，又冒失地問道：「你在這兒住了很久了吧？」

「我被這一場雨留住了。」

「你打算去那裡呢？」

「回家。」

「還很遠嗎？」

「不遠，祇有幾十里路。」

「那不是一天就可以到家了嗎？」

「是的，如果我的腳不殘廢的話，一天就走到了。」

「你的腳是怎麼搞的呢？」季昆關切地問道，並低下頭去察看桌底下那個軍人的右腳，他的右腳自踝以下，層層疊疊裹著許多綁腿布條，連著一隻軍用膠鞋，左脚上卻穿着一隻美式軍用皮靴。

那軍人苦澀地問道：「你看，我這隻腳，是不是又醜又髒。」

「你一定是因爲作戰受傷，才把腳弄壞的。」季昆掩飾地安慰對方。

「不錯，」那軍人平靜地說：「它正是一隻勝利腳，還有我這一雙勝利手。」說罷他把攏在袖子裡的兩隻手抽了出來。

季昆見到他的兩隻手時，禁不住打了個寒顫，祇覺一股寒氣自坐骨神經，沿著脊樑骨向上爬昇，直冷到頸脖間。那兩隻手，除了右手的拇指和食指，其他的八個指頭齊根切斷，僅剩下光禿禿的兩隻手掌。

那軍人顯然是怕驚嚇了未經世故的季昆，祇亮了一下，又迅速攏進袖子裡。訕開話題道：「你今年讀幾年級？」

「高一。」季昆後悔不該看他那兩隻手，心裡祇想借個故，趕快逃開。

那軍人好似看透了季昆的心思，又好似他有滿腹心事要向人傾訴。他不讓季昆有借口的機會，滔滔地說了下去，祇聽他說道：「抗戰最吃緊的那年，我在一所國立中學讀高中二年級，後來響應了蔣委員長的號召，參加了十萬青年十萬軍，投入遠征軍。派到印度和緬甸作戰，勝利後隨部隊回國，船到上海，大家都準備復員回家，突然接到命令，改航葫蘆島登陸，開去東北參加內戰。在東北一待就是兩三年，直到去年，我參加長春保衛戰，那一戰，我們大獲全勝，我也獲得一隻勝利腳，一雙勝利手，還有一枚勳章。」

季昆有所悟地頷首道：「怪不得你與眾不同……」

那軍人受寵若驚地微笑道：「我有嗎？」

「當然，既是知識青年又是遠征軍。」季昆肯定地點點頭，把話拿回眼前續道：「據新聞報導，那一仗打得非常激烈，是內戰以來，國軍打得最好的一次。」那軍人的話，已引起季昆的興趣，由於戰事的一再失利，人們都失去了信心，面對著這個打勝仗受傷的軍人，藉著他的回憶，著實沖淡了不少隱藏已久的悲觀情緒。

「我那時是一名機槍連的上士班長，我們連的陣地，正是敵人主力攻擊的正面，我們的機槍掃射過去，眼看着一波一波的倒下去，又一波一波的接着衝上來，經過幾十次的反覆衝擊，他們的人已死得堆成了山，我們的人也死傷殆盡，最後祇剩下連長和我兩個人，守著那挺重機槍，那時候東北正是氷雪滿天的隆冬季節，氣温經常低到攝氏零下十多度，儘管我們穿着的都是美式裝備，碉堡內還有火盆木炭之類的取暖設備，但當戰況進行到激烈的生死關頭，誰還有閒情去昇火取暖，我把手套取下來裝塡好機槍子彈，就不再有時間戴上去。正當戰況稍歇，我走出碉堡，準備弄點冰雪冷却槍管，忽見不遠處，有人撲到了我們碉堡的坍近，眼看他就要把手榴彈往碉堡裡塞進來，情急之下，奮不顧身地衝過去跟他近身肉搏，雖然把他刺倒了，但他的兩隻胳膊，卻死死地抱住我的右腳皮靴不放，敵人的後續部隊又開始發起攻擊，聽到連長的呼叫，我連想都來不及想，抽出身上的配刀，割斷皮靴帶子，抽出腳踝連着襪子，回到碉堡裡，直到戰況沉寂，我和連長兩人都不敢稍有鬆懈，唯恐稍有疏失，敵人就會趁機摸過來。我們已經幾天沒進過飲食，連伙伕都戰死了，也不知道在什麼時候昏了過去，好像是聽說戰事結束的那一聲大叫。醒來時，我和連長都躺在戰地醫院的病床上，醒過來的頭幾天，手脚還很麻木，又被厚厚的紗布裹住，一點知覺都沒有。終於有一天，我被推進了診療室，醫生嚴肅地對我說：有一個很不幸的消息要告訴我，醫生要我鎮靜，不要激動，我都答應了。醫生慢慢地拆開紗布，我才知道那所謂的不幸，原來是我變成了現在的樣子。據醫生說這主要是凍壞的，到達醫院時，我的手指和脚趾都早已凍斷了，僅留的兩根手指，多虧醫生細心，給保留了下來。」那軍人說到這兒，已顯得有點吃力，季昆從火爐邊為他端來一杯熱茶，他呷了一口換過一口氣又道：「出院的那天，忽然來了一位了將軍，據說他就是我們陣地的督戰官，他進到病房的時候，身邊跟着一大群人，說了一些鼓勵讚揚的話，之後，他為連長和我，一人頒發一枚勛章，二十塊袁大頭犒賞金。傷癒後我奉命從醫院退役，走到這兒二十塊袁大頭剛好用完，心想此地離家不過幾十里路，天氣好就是爬也爬回家了，沒想到會遇上這麼個鬼天氣。做生易為的就是賺錢，房客付不出房飯錢，老闆不高興，人之常情，不能怪他。」說到這兒，他低下頭，沉默起來。

季昆也沉默地在心裡面自忖，如果政府又號召，類似什麼十萬青年十萬軍的運動，自己會不會踴躍參與，他一再地詰問自己，得不到肯定而果斷的答案，禁不住對眼面前的這個傷殘軍人，油然而生出敬佩之心，便想要說幾句安慰他的話，發現自己既沒這種經驗，又提不出解決的辦法，僵持了一會兒，突然冒出一句問話道：「你打算怎麼辦呢？」

說過之後又覺得很後悔，埋怨自己不該問這樣的蠢話。

正在這尷尬的當口，客棧老闆領來一個軍車司機，他們是亂世的蟲蛆，因交通不發達，沒有公設的交通工具，一心避世的人，又沿着抗戰的路線，避遷雲貴四川，一路上成了軍車司機的黃魚，軍車則成了司機們的營利工具。軍車司機被領到那軍人面前，那軍車司機原本衹準備買軍人腳上穿着的美式軍用皮靴，看到他身上穿着的羅斯福呢美軍制服，又堅持一併買下，那軍人也堅不同意，禁不住客棧老闆的軟硬兼施，最後以十塊袁大頭成交，客棧老闆扣下五塊錢作爲欠付的房飯錢，兩塊錢雇了一乘布篷小轎。

早飯後，一乘黑色布篷小轎，冒着淒風苦雨，離開了季昆一家人寄住的小客棧，那軍人在上轎的瞬間，將一個錦盒塞進季昆懷裡，衹說了一聲「留作紀念」，便登轎而去。

當季昆將錦盒出示給父親看時，赫然發現，竟是一枚「青天白日」勳章。

家在山那邊

一九七五年

亞熱帶的月夜，特別明朗，天像洗過一般，澄澈得看不見底。不管多麼炎熱的天氣，在這個臨海的山頭上，總歸會有點子風，白天吹到人身上，帶點熱烘烘感覺，夜晚便恰好相反，涼颼颼地十分舒暢，熄燈號以後，整個營房歸於沉寂。王桀有點異樣地感到難以入睡，他搬了一張躺椅，放到榕樹底下，躺倒上面，看着那一排排的綠色營房，不似往常般那麼安祥靜謐，事事都那麼妥貼，好像身上突然隆起一個肉瘤，感到很不舒服。

部隊接到命令，實施徒步行軍演習，大演習即將於明早開始，這一天內，部隊作了翻天覆地的準備工作。多少年來，從未有過這麼大規模的長途徒步行軍了，還是一九四九年隨軍撤退時，走了一個多月，從安徽走到福州。許多人落伍下去了，王桀沒有，所以他常對人說：「你們懂個屁的共產黨，老子什麼沒有經過過，光是被八路在屁股後面趕着逃，就跑了一個多月。」別人笑罵他打了敗仗還當光榮，他強辯稱：「能逃出共產黨的追踪，就算得是英雄了。」

　爲了不願參加演習，小不點兒楊再興跟王桀頂了幾句嘴，這事發生在王桀與小不點兒身上，正好比一根魚刺，梗在喉管裡面，下不去，也嘔不出來。王桀越想越慪，下意識地罵了一聲「他媽的這小子」！帕地一聲脆響，他在自己的臉頰上，重重地摑了一掌，直起上身，將手掌順着臉頰拉下，手心感到濕滑滑的，好大的一隻蚊子，被王桀拍了個正着，吸滿的人血，沾濕他一手一臉，他恨恨地掏出手帕擦拭乾淨，又倒回躺椅上，閉上眼睛假寐。

「班長、、」小不點猶豫的聲音。

「你打好背包沒有？」王桀背着身子問道。

「沒有。」

「沒有。」王桀驚詫地轉過身來，先是眼珠子暴睜，當他瞥見小不點的畏縮表情，以爲他不舒服，關切地問道：「你病了？」

「沒有。」

「沒病沒痛的，你搞什麼鬼？到現在連背包都沒打好。」王桀沒好氣地說。

「我不想去。」

「你瘋了！這是總統的命令，誰敢不去？」

「我也不知道爲什麼？反正不想去就是了。」

「你簡直是活老百姓，這是什麼時候，來搞這種節目？」

「班長，我不是存心跟你搗蛋，我……」

王桀氣往上衝，把手一揚，阻止道：「我懶得跟你嚕嗦，你去也好，不去也好，衹要連長同意，都不關我的事。」

小不點哀求道：「我就是想你去替我說。」

「我！」王桀賭氣轉過身，拾起剛擱下的工作，大聲道：「我沒空。」

小不點也賭氣地在王桀身後叫道：「有什麼了不起，最多不過是關禁閉，說不去就不去。」

晚餐後，小不點被送進了禁閉室，王桀覺得很不是滋味，他靜靜地躺臥在榕樹底下，好似正貪享着這亞熱帶的早秋夜色。徐風拂在樹稍上，令樹枝搖曳生姿，正舒展着被日光暴曬過的筋骨。婆娑的樹影，也隨着風的拂動而幌蕩不安，拂過王桀的臉，亦如他的心緒，波濤起伏地洶湧澎湃。他緊閉着兩隻眼睛，似睡得非常安靜，但他的整個腦子，有如一列載重的貨車，奔馳在軌道上，失去了掣扭，每輾過一處，便會震得地動山搖。又像是一具遂道開挖機，開足了馬力，一個勁地往岩石裡面鑽了進去。

「小不點留在連部，順便幫幹事辦點業務。」指導員連人事改編會議上提議。

「不行，第一，於法不合，第二，他年歲還小，需要有人照顧管教，把他交給王班長。」連長張懷國作了決定，全體與會人員無異議通過。

小不點是部隊撤退時，路上撿來的一個孤兒，因年齡尚小，便留在連部當勤務兵，部隊到台灣後，有了統一的指揮系統，統一的編裝制度，遠非大陸各自爲政的時代可比，尤其是接受美國軍援以後，參照美軍建制的國軍，乃當年台灣現代化管理層次最高者。整編後的部隊編制，沒有了勤務兵，祇好把他編到排裡去當列兵，連長深知王桀的爲人，才特地把小不點編入他的班內。「今天，唉！這小子？」王桀又在心裡面罵了一聲。

二

「班長！」王桀還沒來得及反應，便猛地被身後撞來的一股推力，推倒散兵坑內，手上的十字鎬幾乎戳穿自己的腿桿，隨着腿部的劇烈疼痛，耳中已聽到尖刺的嘯聲，接着一聲暴響，塵土像雨點般灑落下來，覆蓋到身上，幾乎把王桀埋在土裡。經驗告訴他，死活祇能等待砲聲終歇。約莫持續了二十分鐘，有人在扒他身上的泥土，他爬起來，見小不點正跪在自己身邊，他摸着小不點的頭，嘉許道：「幹得好，俺今天可是疏忽了。」王桀環顧四週一眼，又自語道：「他們人呢？」

「不知道？」小不點以爲在問他。

「走，咱們找找去。」

王桀邁開大步，向班的預備陣地尋去，小不點隨在王桀身後，幾乎是小跑着才能跟上。

他們走出去不過二三十公尺遠近，一個彈坑外面，橫擱着一條被硬生生炸斷的人腿，王桀一見，知道事情不妙，便命小不點從自己對面下去，兩人合力把泥土扒開，裡面出現了半截軀體，經仔細辨認，才認出是輕機槍手尹平。王桀抱起屍體，小不點拾起斷腿，兩人默默地走回班堡。

王桀將尹平半截屍體，平放在班堡外的平地上，小不點拿來尹平的軍毯，替他蓋上。營衛生隊的救護車也開來了，王桀在另一個彈坑裡，找到了受傷的莊裕華，他傷在頭部和胸部，滿身都是血污，王桀顧不了那許多，親自把莊裕華抱上救護車，看護兵做了急救手術。王桀嘶啞着大叫莊裕華的名字，無奈他已昏迷不省人事，不到子夜，莊裕華也死在醫院裡面。

晚上，小不點躲在被子裡面飲泣，漸漸地聲音大了，整個班堡的人都聽到了他的哭聲，沒有人出聲攔阻，也沒人出聲安慰，直到一個黑影闖了進來，煩燥地大聲喝止，才打破了堡內的沉寂。

「哭什麼？沒出息的東西，打仗那有不死人的。」

「他們死得那麼慘，你沒看到？」小不點激動地反駁着。

王桀近乎暴怒地吼道：「我見得多了，那像你沒見過世面，要哭，給我出去哭。」

小不點一聲不吭，爬起來就往外走。

李抗日見狀，迅速起身，追了出去，他趕上一步，扳住小不點的肩膀道：「小不點，別難過，班長不是生你的氣。」

「我知道，可是，他不准我哭，他自己卻發那麼大的脾氣。」小不點有點委屈地說。

「你不惹他不就結了。」

「我什麼時候惹他了？祇准他自己生氣，就不准別人難過。」小不點的心裡，覺得很不公平。

「你還小，有些事情，你還不懂……」

小不點不待李抗日說完，就搶着道：「我爲什麼不懂，我早就知道，他自己比我還要難過，所以才要發那麼大的脾氣。」

李抗日摸摸小不點的頭，不再爭辯，笑道：「算你懂了，好吧。」

小不點破涕爲笑道：「我本來就懂了。」

李抗日和小不點回到班堡時，王桀還沒有睡，借着朦朦月光，他們見到王桀坐在床前發呆，他床上擺滿了尹平和莊裕華兩人的遺物。他們不敢打攪他，輕輕地爬上床，小不點趴在床沿邊，從上舖伸出頭來，注視着王桀的舉動。

王桀還是那麼坐着，一動也不動，小不點真有點忍耐不住了，想出聲招呼他，話到嘴邊又縮了回去。又過了個把時辰，當小不點一覺醒來，再次趴到床邊察看，王桀才開始清理尹平和莊裕華的遺物。他把每樣物品，捧在手上，看了又看，好似小孩子看到新奇的玩具，愛不釋手。又像是一大堆珠玉，看得他眼花撩亂，直到他不想再看了，才將它們仔細登記到簿子裡，這樣一直折騰到天亮，他綑紮好兩個包裹，早飯也沒吃，拎着兩個包裹出去了。

王桀他們住的碉堡，實在說，都是些單薄的掩體，根本經不起重炮的轟擊。

王桀他們的這個堡，是最凸出主陣地的前哨，構築在面海的一個小斜坡後面，對岸砲擊的目標，是他們後面臨近村莊的主陣地，他們的班堡反成了砲彈的死角。

砲戰一個月下來，糧食除海運也不排除空投接濟。主副食分配均在夜間進行，第一綫海防部隊，不擔負後勤差勤，但本部隊的給養，還得由本部隊差勤來擔負。這晚，因失去兩名兵員，一時無法補充，從不讓出差勤的小不點，也被派上用場。

小不點興奮地隨在李抗日身後，耳聽對岸砲彈離炮口的聲音，砲彈飛越空中帶出的哨聲，有規律地組成一章戰地組曲。眼睛見到的，是砲彈爆炸時爆裂出的強烈閃光，照明彈像日光燈般射出的白光，照得草木清晰可見。

小不點蹦跳着對李抗日道：「蹲在掩體裡面，都快把人悶死了，外面這麼好玩，難怪你們都搶着出公差，儘讓我一個人守碉堡。」

「小不點，你別不知天高地厚，你當這是好玩兒的。」

「爲什麼不好玩，你看這夜晚亮得像白天一樣，還有音樂哩！」小不點一邊撿拾砲彈破片，一邊嬉笑地說。

「你當心點，別樂極生悲。」李抗日警告着。

「我才不怕呢！他們晚上祇打交通點，你別想唬我。」

小不點的話還沒完，李抗日耳聽哨聲有異，剛說得一聲「快」，便踴身向路旁的彈坑中撲去。小不點比他更機警，已早李抗日一步落入他身側的彈坑中。砲彈在李抗日撲倒的瞬間爆裂開來，發出轟的一聲暴響，李抗日的耳膜被震得嗡嗡作痛，好像砲彈一直不停地在爆炸。

他趴着不敢動，小不點以爲他受了傷，爬起身來焦急地問道：「李大哥，你怎麼啦！」

「……」

小不點急得哭起來大叫道：「李大哥！」

李抗日似有所覺地抬起頭來，見到小不點的哭喪臉，不禁大聲笑道：「小不點，我剛警告過你，打仗不是鬧着玩兒的，怎麼樣？才幾發砲彈，就把你駭成這個樣子。」

小不點站起身來也大聲地反駁道：「不要臉，你自己駭得連頭都不敢抬。」

李抗日一邊打手勢要小不點躺下，一邊大聲道：「你不要命啦！」

小不點譏笑道：「李大哥，我看你是被砲彈駭破膽了。」

李抗日茫然地問道：「你說什麼？」

小不點又大聲地重覆一遍。

李抗日指指自己的耳朵，大聲地：「我的耳朵還在嗡嗡地響個不停？」

李抗日打那以後，耳朵便完全失聽，指導員作過幾次試驗，突然不經意地從李抗日的身後呼叫他的名字，李抗日衹是充耳不聞，証明他的失聽衹「真」不「假」。回到台灣不久，李抗日便住進了後送療養院。

「班長！」小不點慌慌張張跑來報告道：「劉大哥吐血！」

「好好的幹嗎會吐血？」王桀有點不敢相信地說。

「你去看了就知道了。」小不點搶到王桀的身前，手指着劉家榮放哨的方向，意思是要他立刻去察看劉家榮的情形。

王桀覺得事情有點不尋常，邁開脚步，向劉家榮值勤的警戒哨所走去。

「家榮，你怎麼了？」

劉家榮指指自己的喉嚨，嘴唇動了動，待要發出聲音，覺得疼痛難忍，便打住了。

王桀走過去，托起劉家榮的下巴，命他張開口，對着陽光察看，裡面黑糊糊的看不出什麼。王桀偶一低頭，看到劉家榮吐在地上的一灘鮮血，他不敢馬虎，命令道：「小不點，趕快叫人來替班，你陪家榮去醫務所看病，有事打電話給我。」

轉頭對劉家榮道：「家榮，你先去看病，我在這待會兒，等他們來了，我就來看你。」

劉家榮還想說什麼，被小不點硬拉着走了。經戰地醫院診斷結果，因感冒引起喉嚨發炎，又因過度缺乏維他命，導致喉頭紅腫，而影響及聲帶，吐血是因爲氣管破裂，並不嚴重，聲帶的毛病較難搞。此後，劉家榮的聲音日漸闇啞，最後終至失聲。他和李抗日一樣，經歷過指導員的長期考驗，測驗他的方法，都在午夜過後進行，指導員用一根鑽針，趁劉家榮睡夢中刺戳他的肌肉，每次劉家榮受痛，都祇發出吱吱呀呀的含糊聲。回台灣後，也住進了四級療養醫院，過了一年，與李抗日兩人同時奉准開缺，成爲醫院待退的療養員。

李抗日劉家榮開缺後，補充進來的都是些充員兵，他們有家有業，根本無心戀棧。對當局堅持進行的反共抗俄事業，既缺乏認識，也不怎麼關心，更不似一般大陸來台的老軍人，急切地盼望反攻大陸。相反地他們希望那件事愈遲愈好，最好是根本不要發生，不要打仗，管他娘的什麼大陸同胞，什麼處身水深火熱，祇要自己別死在戰場上，幹什麼不好，非打仗不可。

王桀不怎麼喜歡這些充員兵，他壓根兒不相信他們能打仗，有時候他的內心裡感到非常恐懼，這反攻大陸的事一直遙遙無期，再過個三五年，部隊裡即將無可用之兵，無可用之人。自己的幫手愈來愈少，目前已是蜀中無大將，連小不點都是班裡的重要成員。可恨，小不點這麼個活蹦亂跳的小鬼頭，也變得陰陽怪氣的不服管教，自己這班長……唉！

三

王桀輕嘆一聲，揚起上身待要站起來，有人按住他的肩膀，又把他推回躺椅上坐下。原來是自己的排長殷誠，他手上拎着一條小板凳，王桀欲待起身讓坐，殷誠擺擺手，隨手放下小板凳，坐到王桀的對面，問道：

「小不點什麼回事？」

「誰知道他發什麼神經？」

「他最近有什麼不對勁的事情沒有？」

「他天天在連上混，有什麼不對勁的呢？」王桀不以爲然地說。

「話不是這麼說，你還記得在這榕樹底下上吊的袁子才嗎？他死前你能看出他什麼地方不對勁嗎？」

「嗨！排長，你放一百二十個心，小不點那小子，別的我不敢保，像袁子才那種自殺的傻事，他決計不會幹。」

「我不反對你的看法，因爲你們相處的時間久，不過，我還是要提醒你，今天，我們部隊裡自殺、逃亡、犯上的案子層出不窮，部份原因，未嘗不是出在我們幹部的疏忽兩個字上。」

「如果一個人存心要尋死，要搗亂，誰也看他不住。」

「這話誠然不錯，如果我們能即早發現他們自殺和搗亂的動機，適時適當地予以疏導，未嘗不可以減少許多無謂的犧牲。」

「有什麼辦法呢？像袁子才，他就是想不開。」王桀擺出一幅無可奈何的樣子。

「我想，若不追究他托人從香港帶信回大陸，他也不致於出此下策。」

「這不是第一次了，排長，你知道嗎？」王桀神祕地說道。

「還有前科嗎？」

「雖然不是自殺，也跟自殺差不多。」王桀說着，掏出七七香煙，舉起煙盒向殷排長示意，殷搖了搖頭，他自個兒燃上一支，續道：「我們在金門駐防的時候，有一晚，我查哨查到袁子才值勤的哨所，祇見槍枝不見人，情知有異，我還是先偵查一下，看看附近有沒有人小解，當我走到徒崖邊，赫然發現面對海灘方向，有一個朦朧黑影，我第一個想到的是袁子才，故意拉動衝鋒槍的扳機，一是提醒袁子才，二是防着別是對岸的水鬼。對方一聽拉扳機聲，立刻出聲打招呼，您猜是誰？」

「袁子才。」

「不錯，正是他，我把他叫回來，幸虧他出去不遠，還沒進入雷區，我問他幹什麼？答不上來，雙脚一軟跪在我面前哭了起來。我當時看着他，真是又生氣又可憐，末了，廹得我賭咒發誓，不張揚出去，他才跟我回來。」

「私與大陸家人通信事件發生之後，他私底下向我表示過，他因爲想家，而托人自香港轉信，信裡也不敢說他在台灣，更不敢說自己是台灣的軍人，金門逃亡的事，隻字未提。」

「這事我也犯不着抖出去，多少年的弟兄了，誰還不知道誰，我還沒想改行幹那起缺德的事，」說着眼珠子似有意，似無意地瞟過遠處連部辦公室，隔壁尙亮着燈光的窗户。

「袁子才有老婆孩子留在大陸上，他又是個死心眼的人，話又說回來，與匪區通信，這紅帽子的罪名，誰擔的起，不死也要脫層皮。」

「衡情度理，袁子才在與匪區通信之前，他求生的意志還是很強的。金門逃亡，他是抱着活的希望去闖關的，僥倖成功，他便有機會見到家人，這一線希望給了他氣和鼓勵。再說，你一拉扳機，他便出聲打招呼並下跪求情，都說明他求生的慾望很強，既不想死在你的槍口底下，也不想遭受軍法嚴刑致死。」

王桀不加考慮地道：「我沒想過這麼多。」稍停，王桀感慨地道：「按說，大陸上的人，正處身水深火熱之中，就是回去了，還不是跟着一塊兒受罪，真不懂，偏有人像飛蛾撲火般，前仆後繼，往死裡鑽。」

「這種事很難說得明白，與大陸家人通信雖然觸犯軍法，但想念親人並非罪惡，何況，金門海岸的設施雖嚴，還是有人成功的逃了出去，對後繼者有很大的鼓勵作用。」

「排長，你會不會覺得我這個人太無情了。」

「各人對感情的看法不同，表達的方式也不同。有的人視妻兒勝過自己的性命，有的人便不以爲然，像劉備，他就把老婆比作衣服。最不道德是慷他人之慨的人，要求別人不要身家性命，對他自己和妻室兒女卻珍惜得很，正所謂人心不同，各如其面。我們切不可用自己的想法，去衡量別人，更不應該用自己的想法，去要求別人，或評價別人。」

「這話說的也是。」是什麼，王桀沒有再作解釋，暗然神傷地低下頭去。突然，他抬起頭來，眼光散亂地恨聲道：「他媽的！反攻反共，反了這些年，越反越氣悶，老子打了一輩子的仗，就是打日本鬼子，也沒打得這麼悶氣。」

殷排長看着自己面前的這個老兵，正陷入天人交戰的矛盾中，一面是他信奉的革命軍人不要身家性命，一面是他難以抵擋的親情的召喚，忠於前者，他愧對親情，忠於後者，他愧對革命。便安慰道：「想家並不是什麼壞事，一個人真能連身家性命都不要，那這個人就太可怕了，所謂革命軍人不要身家性命，那祇是一句鼓勵的話……」殷排長說到這兒，突然打住。

王桀正聽得入神，兩目炯炯有光。

殷排長下意識地向尚亮着燈光的窗户，也是王桀目光曾經掃過的窗户，投過一瞥，回過頭來轉變話題道：「我想，我們還是談點正經事吧。」他站起身來接着道：「明兒一早，你先去禁閉室，把小不點接回來，就讓他留在連上好了。」

四

禁閉室的木門敞開着，小不點站在門內不肯出來，王桀覺得又氣又好笑。

「我寧願關禁閉，也不要行軍。」

「不要你行軍，請你老人家回去看家，行吧！」王桀沒好氣地說。

「真的，班長。」小不點驚喜地叫起來。

「我沒時間跟你磨牙，還不給我快滾。」

小不點反身抱起自己的鋪蓋，興沖沖地跨出禁閉室大門，王桀將手上拎着的一個小紙包，塞到小不點的鋪蓋裡面，冷冷地道：「你留作挺尸吧。」說罷大踏步地先走了。

小不點拿出紙包掂了掂，臉上綻出了微笑，拎着紙包和鋪蓋捲兒，慢慢向自己連所屬營房踱去。

部隊一早出發，除了伙房及辦伙食人員，餘眾走得一個不剩。王桀所屬的連，乃前衛連，排又是連的第一排，無可推托地成爲連的前衛排，他這個班又是排的第一班，循例成了排的尖兵班。按規定，他必須在本隊出發前一小時，通過出發控制點，王桀準時把部隊帶到預定出發控制點，按預定路線出發。

當任前衛的部隊和本隊不同，他們負有警戒任務。這次演習的目的，祇是徒步行軍，但也不能沒有搜索警戒的動作。尖兵班是前衛中，實際執行搜索任務的部隊。王桀領着七個班員，登山涉水，探橋開路，一天下來，也着實夠辛苦的。

王桀班裡除去四個充員，另有四個老弟兄，小不點拖死狗不肯來，更少了一個。

大個兒秦國中的體力最好，徐鵬瘦瘦乾乾的，沒什麼病痛，趙勤原也是一把好手，可惜金門砲戰時受過傷，平常日子不出操，不覺得有什麼不對勁，這麼爬高竄低地一天緊趕，煞黑以後，行動便顯得遲鈍吃力了。部隊奉命暫時停止前進，原地休息待命，王桀把趙勤從警戒線上叫來，吩咐道：

「我看你的腿不行了，還是回連部去吧？」

「沒什麼，我還可以撐一段。」趙勤說着就向自己的哨所走去。

王桀氣惱把叫道：「自己的腿不爭氣，還逞什麼強。」

徐鵬也在趙勤身後叫道：「趙勤，班長是好意。」

趙勤頭也不回地回到哨所去了。

徐鵬又提高嗓門叫了一聲「趙勤」。

「讓他去，別理他，我看他還能撐多久。」王桀不再理趙勤的事，自己忙着去向排長報告情況。

再出發時，王桀不知打那兒搞來一根手杖，交給趙勤使用，又硬性接過趙勤的背包，徐鵬本來就多背了一部三零零無線電步兵收發報機，四個充員已有三個不支落伍下去了，祇剩一個死硬份子賴水吉還在苦撐。晚上行軍比白天輕鬆得多，第一天氣比較涼爽，第二可以省卻許多戰鬥動作，尖兵組秦國中領着賴水吉出發走了。王桀自己居中策應，留下徐鵬趙勤墊後。

臨出發前，王桀又對趙勤吩咐道：「趙勤，不是我說你，要強也要分個輕重，你還是給我留下你那條腿吧，反攻大陸還得派大用場，不行了，就坐下來，等收容車接你。」說罷也不等趙勤答覆，竟自走了。

徐鵬扶起趙勤問道：「怎麼樣？」

「讓我試試再說吧。」趙勤吃力地舉腿邁步，向前緊趕。

「趙勤，這種鬼訓練沒個完，你這麼苦撐，犯得着嗎？」

「有時候想想，實在也是……唉！」

「我看上面是沒得事兒幹，拿我們來消遣。你想，」徐鵬湊到趙勤耳邊，放低聲音道：「這反攻大陸已反了多少年了？」

趙勤警覺地也是下意識地向身後掃過一瞥，見沒有人，才放膽地問道：「你又在發什麼謬論？」

徐鵬跟着趙勤的眼神，也不自覺地向後瞄去，見空山寂寂，便又接道：「我要有你這麼點子傷，早去找抗日他們了。」

「是呀！我也知道該那麼做，可是看到我們這個班，就這麼幾個人，唉！」

「世間無不散的筵席，咱們也該爲自己打算打算了，再過個三幾年，祇怕連這幾個人都沒有了。」

卜通一聲，趙勤摔倒地上，把徐鵬嚇了一跳，忙蹲下來問道：「怎麼樣？沒摔着吧？」

趙勤抬起頭來看前頭的人沒了踪影，心知自己拖累了徐鵬，毅然道：「我不要緊，你走吧，我就在這兒等收容車。」

徐鵬安置好趙勤，關照道：「你自己看着點，我走了。」

趙勤看着徐鵬的身影漸行漸遠，心裡面突然湧出一股落漠空虛的感傷，尹平、莊裕華、袁子才，他們的身影，像走馬燈似地圍繞着自己轉，一個從未有過的念頭，鑽了進來，他不斷地自問，也問蒼天：「他們的死，值得嗎？」

賴水吉的步子已呈現不穩，高一腳，低一腳，遠看去，像個喝醉了的人。兩扇眼蓋皮好像被強力彈簧拉住，他費了很大的力氣睜開，一下子就又闔上，他掏出準備好的萬金油猛搽，辣得眼淚水直流，如喪考妣，但眼蓋皮比先前更沉更重，眼闔的更緊。他的嘴唇掀動，喃喃自語，我愛睏，我愛睏，兩條腿像是着了魔，不停地往前邁步，他跌跌撞撞地掙扎了一段路程，他張開嘴向秦國中的方向呼叫，秦國中卻聽不到一點聲音。王桀遠遠地發現了賴水吉的情況有異，他緊趕幾步，企圖招呼就近的秦國中照顧他，就在王桀快要接近時，賴水吉蹴着路邊的一堆泥糞，一個歪斜，掉進稻田的糞坑裡，王桀顧不得骯髒，卸下槍枝背包，把賴水吉從糞坑裡拖出來，兩個人都搞得狼狽不堪，賴水吉經此一番折騰，瞌睡也就不睡全消，他結結巴巴對王桀道：「班長，我不是愛睏，我……」

王桀沒好氣地道：「別嚕嗦，先找個地方，去洗洗乾淨，這麼臭氣沖天地叫人受不了。」

王桀他們跳進灌溉用的水渠裡，洗濯乾淨，天已經東方發白，朦朧地綻出曙光。

部隊奉命原地休息，卡車送來熱食，小不點跟着伙食車趕來幫忙，王桀一見便沒好氣地吼道：

「你來幹什麼，不在家挺尸納福？」

「……」

小不點不理王桀，給演習人員送上熱騰騰的早餐，待早餐完畢，他就坐到秦國中身邊去聊天。部隊再出發時，賴水吉隨伙食車回連部去養傷，小不點拾起他的三零步搶，與秦國中併肩子先上路走了。王桀看着秦國中和小不點遠去的身影，掏出香煙來，自己燃上一支，又給正在發報的徐鵬也燃上一支，目不轉睛地望着前頭兩個黑點，重重地噴出一口煙霧，輕聲地對徐鵬道：

「走吧，再遲就要落伍了。」

五

演習結束後，接連放了三天假。王桀收到李抗日和劉家榮的來信，邀請王桀和班裡的老弟兄們，去他們療養的醫院聚一聚。王桀心裡面也着實惦記着那兩個傢伙，再說趙勤的腿傷也需要認真的治一治。休假的最後一天，秦國中和小不點都有任務，不能外出，王桀約同徐鵬和趙勤，一早搭乘營裡的交通車進城，下車後，他囑咐徐鵬陪趙勤在附近氷店裡等候，自己趕到菜市場，買了幾樣水果，回頭找到徐鵬和趙勤，叫了一部計程車去醫院。

李抗日他們住的是四級療養醫院，屬後送醫療機構，以休養爲主，治療爲輔。病房亦如營房，長方形的木質平房，不同的是有走廊，隔間較小，每間十個床位，每個床位設一床頭櫃。全院有十四個病區，滿額時，可容納一千四百病傷員，醫生護士約百餘人，爲補充缺額，不得已起用一些來此就醫，具有醫療專長的傷病人員。

這兒的病人有兩種，其一是慢性疾病患者，通常休養重於治療，如胃病關節炎，重症如肝硬化，心肌疾病。其二是退役病人，這類病人的症狀伸縮性很大，全看醫官與病人間的關係而定。

李抗日混得不錯，他進院後，又把劉家榮和第二連的朱義信、第三連的李原，都搞了進來。四個人還在醫院附近開了一爿宵夜小吃店，專賣麵食，生意不錯，每月有好幾千的進帳。這爿店，對他們的幫助很大，他們打點退役所需的開銷，全靠這小店的收入支撐。

王桀他們到達時，李抗日一伙人正在病房裡扯談，見到王桀他們，四個人不約而同，擠到病房門口來迎接。李抗日把王桀他們介紹給病房的每一位病友，大伙兒遞煙倒茶，忙和了好一陣。李抗日先領着趙勤去看他的腿傷，診斷結果，醫生認有發炎現象，當即打了一針，又開了處方，兩人拿完藥回到病房，前後才三十分鐘，這些事若是趙勤自己來，少說也得等上一個上午，趙勤驚羨地對王桀說，李抗日的瞄頭眞是不止一眼眼。

王桀聽了趙勤的話，臉上一絲表情也沒有，趙勤微感意外地碰一鼻子灰，便懶待再跟他說，自個兒去找別人聊天。李抗日邀和大伙兒去自己店裡聚會，王桀一路上沒有開腔說話，進到店裡也不打招呼，自己揀了個枱子坐下，對眼下的一切，漠然無動於衷。大伙又忙了好一陣，酒菜上了桌，還是軍中的老把式，大魚大肉，大盆大碗，很痛快爽利的吃法。

劉家榮舉起酒杯道：「班長，我敬你一杯。」

王桀寒着臉沒有搭腔，一仰脖子把杯酒喝乾。

大伙兒見到王桀的舉動，都不禁一怔，李抗日趕緊拿眼光來示意朱義信，朱察言觀色，知道王桀的性子又犯了，祇是沒把握，摸不準他的那根筋不對勁，便也舉起酒杯道：「班長，今天是我們最後一次穿制服，趕下次你再見到我們時，我們就都是老百姓了。」滿以爲這話可以打動王桀，沒想到會弄巧成拙。

王桀聽到這裡，已忍不住氣往上冲，側過臉來問李抗日道：「你們倆個也退了？」

李抗日恭謹地答道：「是的，班長，我和家榮也都退了。」

「砰！」

一聲暴響，王桀的巴掌已擊在桌面上，那幾個盛魚盛肉的盆兒碗兒，因底兒寬，份量重，尚能不動如山，幾隻玻璃酒杯，上顛下簸，跳起舞來了。

「簡直他媽的混球，我看你們好好的，憑什麼退役，國家養你們，爲的是要你們打仗殺敵人，現在連敵人的影子都沒看到，就裝孬退役，你們還算得是人嗎？」

李抗日他們雖素知王桀的脾性不好，倒還沒料到他如此頑固剛烈。爲了一句退役的話，招來他的暴怒，一時都不知該如何是好，窘在那兒僵住了。徐鵬和趙勤兩人的眼色你來我往，互要對方打圓場，而兩人也都是一樣的悶葫蘆，提不上話來。

「我原以爲你們眞的來養病，沒想到你們居然敢來哄我，家榮……」王桀兩眼一瞪，凌凌目光，對着劉家榮命令道：「你說，你這喉嚨是真的啞了，還是裝的假？」

劉家榮突然一挺胸膛，啞聲道：「一半一半。」

大伙兒爲劉家榮的坦白感到吃驚，連王桀都出乎異外地點點頭，似乎是讚賞劉家榮有種。

「這話怎麼說？」王桀追問道。

「聲帶壞了，嗓子啞了是真的，失聲是假的。」

「你爲什麼要裝假？」

「很簡單，爲了退役。」

「這樣說，你的耳朵失聽，也是一半真一半假了？」王桀側轉身，對李抗日問道。

李抗日點點頭，表示認可，他隨即想說點什麼?便叫道：「班長！」

「我不要聽你們那些鬼話，沒得說，今兒就跟我回去。」王桀說這話時，表現得很堅定，他又回復了平日當班長的神采。

「班長，他們早已開缺，不是連上的人了。」李原提醒地道。

「我去跟連長說，叫他馬上給你們補缺。」

「按規定，即使要回部隊，也不能回原單位，何況退役令已經下來，俗話說覆水難收，我們就是想幹都不可能了。」朱義信補充地道。「你們這是存心慪我來了。」王桀盛氣凌人地道。

「班長，你要那麼想，我們也祇好認了，不過，我們確是誠心想跟你好好的聚一聚。」李抗日解釋地道。

「我慪到這樣子，還能吃得下嗎？」

「班長，我不懂，你要我們留在軍中，對你有什麼好處？」劉家榮不滿王桀的跋扈反問道。

「這要問你們自己，國家養你們幹什麼的？」

「我們幹了十幾年，青春都賣光了，苦也吃夠了，還對不起國家嗎？」朱義信幾乎是大喊大叫地嚷着說。

「難道我們應該當一輩子的兵，吃一輩子的苦嗎？」劉家榮也毫不留情地加入戰團。

李抗日過意不去，儘拿眼色來阻止劉家榮。

王桀有點爲自己的孟浪感到後悔，他自己當了這麼多年的兵，軍人過的是什麼日子，他比誰都明白。可是，當他再一想到自己這次演習時的狼狽和窩囊，又禁不住氣往上冲。他抑制住情緒，緩聲說道：「你們問問徐鵬和趙勤，這次演習，咱們有多窩囊？」

「班長，我們不是不知道你的苦衷，可是……」李抗日不忍心讓王桀太過失望，太難堪，想給他一點安慰，自己可是了半天，不知道該怎麼措辭才好。

「班長，今天在坐的都不是外人，不妨把話敞開來說，世間無不散的筵席，現在政府接受美軍建議，實施新陳代謝計劃，辦理退役，這正是我們掙脫束縛的機會。更何況『新陳代謝』這四個字，顧名思義，就是要把老的舊的淘汰掉，讓新的年輕的進來。你今天不退，早晚要強迫你退，與期晚退，不如趁身強力壯的時候退，免得老大徒悲傷。抗日他們今天請你和弟兄們來，就是要把這意思告訴你們，勸你們也早作安排。」李原接下李抗日的話，慢條斯理地分析道。

「謝謝，老弟，我自有我的打算，用不着你們來勞神費力。」王桀皮輭實硬地說。

「愛國固然是一種高尙的情操，但要分清在什麼時候。」李原不理會王桀的奚落，繼續分析道。

「依老弟的高見，今天是不是該愛國的時候呢？共匪未滅，國土未復，難道不是該愛國的時候嗎？」王桀振振有辭地反駁道。

「話是這麼說，但政府既經做了決定，可見這反攻復國的任務，要不是用不着我們這幾個人，就是還沒到用我們的時候。再說……」李原說到這裡，突然停住，大伙兒不約而同地朝他望着，李原將視線掃過眾人，停到王桀的臉上道：「咱們政府喊反攻復國喊了這麼些年，爲什麼連一點反攻的影子都沒有，可見這反攻的事，連政府都淡薄了，咱們還來替他熱個什麼勁。」

王桀的神情很特別，既沒有憤怒，也不像是服了輸，他奮力地舉起酒瓶，直往自己嘴裡灌下去。一連乾了三瓶酒，旁人也不敢阻止他，也許是有些醉了，他啞着聲音說道：「人各有志，我也不再免強你們，若有什麼困難，捎個信兒給我。」說着冲着徐鵬趙勤命令道：「咱們走。」他說走就走，一頭衝了出去，搞得徐鵬和趙勤都來不及向眾人道謝，便跟着匆匆地走了。

六

自從政府實施新陳代謝的退役制度以來，有辦法的人都用盡心機，從軍中退了下去，部隊的常備兵員已日漸短少，尤以特種部隊爲然。當局考慮到特種部隊的人員訓練需時，訓練費用昂貴，補充兵不過兩年時間，若在特種部隊中服役，還沒到訓練成熟，又要退役了。爲保持戰力，不得不從步兵部隊中，抽調常備兵員，補充到特種部隊中去。第一連第一批抽調十個人，小不點是其中的一個，這十個人算來都是全連年紀較輕的常備兵。這道命令，不啻一記驚雷，震動了整個營區，各單位的反應，幾乎是一致地強烈。但軍令如山，各單位的主管顧不得下級的反對，必須在規定時間內，如實完成任務。

王桀是第一個反對得最激烈的，這比在他身上割一塊肉，還使他難受。他知道他的人少掉一個，就永遠不會再有得補充的了。他幾乎是發狂地在連會議室裡大吵大鬧，終於拗不過那張薄薄的紙頭。他歇斯底里地走出會議室，直衝進福利社，自己取過兩瓶高粱，一口氣灌了下去，倒到床上，弄到整個寢室都是酒腥味兒。

王桀醉了一天一夜，直到第二天旁晚才醒過來。他像大病初癒般，覺得混身乏力，腦子裡卻還未忘記小不點要外調的事，見秦國中正在槍架旁卸装，問道：「小鬼頭走了沒有？」

王桀的話聲把秦國中駭了一跳，寢室內原本沒有人，怎麼會有人說話，他回頭見王桀醒了過來，便装着很異外的神情問道：「班長，你知道你這一覺的時間睡了多久嗎？」

「你少嚼舌頭，才不過個把時辰。」

「哼！個把時辰，都一個禮拜了。」

王桀一骨碌從榻榻米上翻身坐起來，驚叫道：「那小鬼頭不是走了嗎？」

「……」

「我真是該死。」啪地一聲脆響，王桀自己摑了一記耳光。

秦國中看着有趣，逗着玩兒道：「急什麼，沒你送行，人家敢走嗎？」

「秦國中，你給我省着點兒。」王桀正自笑罵着，噗通一聲，摔倒榻榻米上，這次真是把秦國中駭一跳。

「班長，你怎麼了？」

「別緊張，死不了，祇是有點乏力。」

「我去給你弄點吃的。」

秦國中從伙房弄來一碗蛋花湯，王桀喝了覺得舒服很多，恰巧小不點打從外面進來，王桀叫住他問道：「你的裝備繳齊了沒有，有沒有三短四缺的。」

「都繳清了。」

「個人裝備呢？」

「還沒整理。」

王桀一翻眼大聲道：「怎麼了，老毛病又犯了？」

「急什麼，還沒到時候。」小不點懶洋洋地答道。

「吃完飯，就回到這裡來，我幫你整行李。」王桀的口氣已緩和很多，小不點沒吭聲，頭一偏又竄了出去。

晚餐後，各排排長召集全排弟兄，聚在一起聊天，算是給外調離營的弟兄送行。第二排在大榕樹底下，第三排在連集合場，第一排在寢室裡。全排湊份子，買了瓜子花生和米酒。殷排長不慣說那些應景的話，沒有開場白，也就沒有響應的迴聲，大伙兒悶着頭喝悶酒。

第二班班長忽然抬起頭，沖着小不點問道：「小鬼頭，你還記得你怎麼來的嗎？」

「怎麼不記得，那天在福州城外，我餓得幾乎快要死了，你們吃得好香啊！」

小不點調皮地說。

「其實，那天我們也是第一次吃飽飯，那一個多月來，咱們也餓得夠嗆的。」第二班班長回憶地說。

「他媽的，人一倒霉，連狗都咬，一路上不用說攤派粮食，就是拿錢買，人家也不賣給你。」第三班班長恨恨地說。

「也不能怪人家，你若是用銀元而不是銀元券，看人家賣不賣給你。」第二班班長帶笑地解釋道。

「要不是易廣平，這小鬼頭怕不早被餓死了？」王桀不想聽那些舊帳，有意提高嗓門岔開話題。

第二班班長笑對小不點問道：「你還記得送你去員林實驗中學嗎？你賴在他懷裡大哭大鬧。」

「怎麼不記得。」小不點說着突然臉一紅，低下頭去。

「這小子沒出息，送他去讀書，居然跑掉了。」王桀笑罵着。

「這不怪他，怪祇怪他生在這個動亂的年代，使他失去父母，失去了親情，他已把這兒當作了他的家。」殷排長解釋地說。

「其實，我們也不想他走，有個小孩子熱鬧得多。」第三班班長兩眼盯着小不點，關注地說。

「小鬼頭，你那次到底躲在什麼地方，怎麼咱們搜遍了附近的山頭，都找不到你？」第二班班長好奇地問道。

小不點笑答道：「我那兒也沒去，就睡在油庫的地堡裡。」

王桀大聲罵道：「原來又是易廣平搞的鬼，他裝得眞像，一幅神不守舍樣兒，這個老龜頭。」

「易班長真是個好人，我常常夢見他。」小不點惋惜地說。

「好人命不長，廣平還真是死得可惜。」第二班班長接口道。

「禍害一千年，咱們這些人，還有得活的。」王桀自我解嘲地說。

「小鬼頭，你這樣懷念易班長，那你們的王班長又如何？」第三班班長帶笑地問道。

小不點聽了第三班班長的話，沒有立即回答，祇沉默地豎起頭，似乎是認真地思索着這個問題。王桀見狀，覺得很不是滋味，心裡面的確有點緊張，他從未想過，自己在別人心目中是個什麼德行。這會兒被人剔了出來，他真想立刻知道這個答案，但又有點害怕。

「易班長心地好，待人也好。」小不點慢慢地一個字一個字地說。

王桀聽到這兒，心都幾乎要跳出來了。

「王班長待人好在心裡面，表面上卻很兇。」

大伙兒不約而同地鼓起掌來，後面較遠的地方相繼起了不少的口哨聲，似乎是附和着小不點的評論。

王桀笑罵道：「小鬼頭，你貧嘴嚼舌的，小心我的巴掌？」王桀嘴裡儘管說得很兇，心裡面着實很受用，因此，他笑得非常開心。

小不點嬉皮笑臉地逗道；「你要打，可得趁我現在還沒走，趕明兒一早就打不着了。」

全寢室的人，都被小不點的話，打斷了興緻，空氣驟然凝冷下來。王桀瞪了小不點一眼，但隨即就輭和下來。殷排長看看錶，清理一下身上的花生皮，略略提高話聲道：「你們到了那邊之後，若有困難，就捎個信來，排裡能解決的，排裡就替你們解決，排裡不能解決的，也會請求連裡或營裡替你們解決。總之，這兒還是你們的家，逢年過節，也別忘了，回來看看大家。」說着，從上衣口袋裡掏出三個紅紙包，接道：「排裡弟兄們湊了個份子，錢雖不多，可是大伙兒一點心意。」說着，將紅紙包分別送到小不點三個外調的人手裡。

「到了別的單位，不像在自己連上，凡事要小心，出了紕漏沒人替你們擋。」第二班班長諄諄地叮嚀道。

「尤其是小不點，你那個脾性兒若是不改，早晚會鬧出亂子來。」王桀又大聲地教訓起來。

「到了新單位，有機會就學門技術，將來也有個退路，千萬別像我們這群人，除了吃糧，沒得第二條路可走。」第三班班長也是感慨，也是關心地說。

小不點把頭壓得更低地背轉身，對各人的話，也不知道他是聽了，還是沒聽。

王桀有氣地吼道：「小鬼頭，你聽到沒有，別那麼沒出息，裝死裝活的。」

小不點也大聲地吼道：「我聽到了。」站起身一頭衝了出去。

早點名時，仍不見小不點的影子，連長躭心地問道：「王班長，小不點呢？」

王桀不待連長的話說完，便搶着回答道：「連長放心，他會乖乖地回來的，那小子的脾性，我清楚得很。」

早餐後，隊伍出發去打野外，今天的課目是連教練，除了連部與伙房的人，餘眾走得一個不剩。下午隊伍回到營房，小不點他們早已走了。晚餐時，用餐的人零零落落，突如其來地一陣暴雨，把個晴朗的黃昏，打得黝暗無光，提早結束了這一天的操作。

七

趙勤的腿傷，再次檢查的結果，裡面有殘留破片，需要再動手術。就在他手術後的那個星期天，王桀托伙房炖了一鍋紅燒豬脚，特地給趙勤送去，順便看看他開刀的情形。王桀走進醫院，距趙勤住的病房還有二三十公尺，遠遠地傳來一聲悽厲的呼號，它進到人的耳膜內，使人的神經立即感到冷肅，突然覺得不安起來。以王桀那種出生入死的老兵，雖直覺地感到難以忍受，不自覺地放慢了脚步，他踏上病房的台堦時，那悽厲的呼號聲又突然歸於沉寂。

趙勤的手術做得非常順利，傷口不大，他已經可以下床活動。王桀到達時，他正在給鄰床的病友餵牛奶，那是個四十開外的中年病人，因想不開自殺，一槍從腹部進去，胸口出來，好在子彈已經出來了，雖然傷勢不輕，不致有性命之虞。趙勤放下手上的玻璃杯，讓出床上的空隙給王桀坐。

王桀審視一下趙勤的傷勢，關心地道：「你這傷的刀口不大。」

「我這點子傷，在這個病房裡和別人比起來，衹能算是給蚊子叮了一口。」

趙勤顯得很輕鬆地說。

王桀見趙勤的傷勢不重，精神甚是爽朗，輕鬆地向四週打量，眼光落到趙勤鄰床病人身上，輕聲問道：「這人怎麼了？」

「自殺。」

「為什麼？」

「還能有什麼呢？跟袁子才犯一樣的毛病。」

「眞是造孽。」

「唉！班長，人有時候真的很難說得清楚？」趙勤素知王桀不以想家為然，極力為病友辯解。

「誰說不是，我以前總覺得這起人最沒出息，有時候替他們想想，也未嘗沒有他們的難處。」王桀感慨地說。

「你是不是有點想家了？」趙勤好奇地問道。

「我有什麼想頭，沒家沒室，沒兒沒女的。」

「怪不得……」趙勤剛說了一句，立即打住，改口道：「不會一個親人都沒有吧？」

「親人當然有，祇是……」

趙勤故意搶着說道：「革命軍人不要身家性命。」

「你少聽那些騙人的鬼話。」王桀憤憤地說。

趙勤怔怔地看着眼前的這個人，嘴唇掀動，好像有話要說，因爲，王桀的話，讓他難以置信，自抗日他們退役以後，短短幾個月的時間，王桀的態度竟有了一百八十度的轉變，這個轉變發生在王桀身上，簡直是一個奇蹟。

「我在想，子才也實在是沒有辦法，吊着個家，音信不通，人非草木，孰能無情。你想，他一家人留在大陸上，他一個人在台灣，唉！你叫他這日子怎麼過？托人從香港轉封信，惹出那麼大的麻煩。」

「誰沒個家呢？也犯不着走絕路。」趙勤惋惜地說。

「俗話說，人不傷心淚不流，人不到絕境裡，也不會走絕路，咱們師裡以前的不算，單今年一年，有多少起了？」

「連師部的伙伕，總共有六個。」

「趙勤，這是個流行病呀！」王桀鄭重地說。

「看開了，也就沒什麼了。」

「說來也奇怪，想當年跟鬼子打仗，一個排上去，剩不了幾個人下來，從未想到會難過，如今不同，看到有人死，就像在自己身上砍了一刀，多久都不能收口。」

趙勤笑道：「[illegible]照你這樣菩薩心腸，沒人幹醫生了。這醫院的病房裡，三天兩頭就會死個把人，喏，」他把手一指對面的空床道：「對面床上，昨兒就翹了一個，他隔壁的大概也快了。」

「也跟他一樣嗎？」王桀偷偷地手指趙勤的鄰床小聲問道。

「演習的時候，從戰車的砲塔裡摔了出來，大出血，抬進來就不省人事，已經三天了，一點動靜都沒有？」

「真是作孽，那死掉的一個呢？」

「演習的時候當任假設敵，不小心，被藥包把肚皮炸開了。」

王桀似乎想起了什麼，問道：「我剛才來的時候，老遠就聽到有人慘叫，那又是什麼毛病？」

「就是進門的那張床，」趙勤指着病房的入口處，床上躺着一個彪形大漢，接着道：「他是個 GMC 卡車駕駛兵，爲準備總統親校，把車開到大甲溪去清洗，沒想到山洪暴發，他來不及逃，坐在車上被洪水淹了一夜。不久，他的右腿感到疼痛，診斷結果是細菌感染，已經過了治療時間，祇能把右腿鋸掉，不鋸會有生命危險。隔了一段時間，現在左腿又出了問題，醫生也是好意，想爲他保留下這條腿，試用一種新的抗生素。以前打止痛針可以管八個小時，才一個星期，管痛的時間愈來愈短，護士小姐沒有醫生的處方，她不能打，不打就痛，他禁不住痛就慘叫。」

「你們這裡算得是個萬花筒呢，我活了大半輩子，從未住過醫院，今天，可開了眼界了。」王桀不無感慨地說。

「你想聽這種故事，那可真是天天都有新鮮的……」趙勤正說到這兒，一聲輕呼來自最前面的那張病床，王桀還未察覺，趙勤立即提醒道：「又開始了。」

「什麼又開始了？」王桀的話才說了一半，另一聲較高亢的哼聲，緊接着又傳了過來。王桀繼續道：「既然治療沒把握，何不給他一刀，來個痛快。」

「兩條腿都沒了，叫他這下半輩子怎麼辦？」

「這樣也會活活把他折騰死的。」

「醫生有醫生的考量，我們不懂才會懷疑，正如同老百姓不懂得軍人爲什麼要整內務一樣，這就是隔行如隔山。」

「台灣的醫生，跟王八鴇兒一樣，祇曉得要錢。」

「班長，這兒的醫生，可沒那麼惡劣，每天早上，都由主治大夫領頭，查病房，察看每個病人的病情，護理人員，也由護理長帶領，一大早七點鐘，就來更換床單忱頭套，還有我們身上穿的這套病患制服。」

「這群人，那一個外面沒有診所，我懷疑他們不給他鋸腿，到底是好心？還是沒時間？」

「班長，你從沒住過醫院，那來這些不三不四的資料？」

抗日的路子熟得很，他什麼不知道。」

「這些謬論，原來都是他灌輸給你的，並不完全正確。班長，他住的是四級療養醫院，我們這兒可是五級治療醫院，這兒的醫生是很忙的。」

趙勤的話尚未說完，那廂病人的厲叫聲，一聲比一聲悽厲。王桀實在忍不下去了，趁着護士來給趙勤換葯，懇求道：「護士小姐，你行行好，給那位同志打一針，免得他活受罪。」

「醫生的處方八個小時打一針，我剛才已違例替他多打一針了，再多打我就沒法報銷了。」

「現在距規定時間還有多久？」王桀焦急地問道。

護士小姐看看腕錶，揚頭道：「半個小時。」

「有醫生嗎？」

「正在護理室寫病歷。」

王桀站起身，大踏步往護理室走去，趙勤一把沒撈住，也起身追了過去。王桀走進護理室，見一年輕醫官正埋首疾書，狀極專一。王桀哈着腰，向那青年醫官懇求道：「醫官，拜托你行行好，給那位受傷的同志打一針止痛針？他那樣子叫喊，叫得人好揪心。」

「你是什麼人？」那青年醫官經蔑地問道。

「我！」王桀被他問得一愣，自己還真不好向他解釋，回過頭見趙勤正站在自己身後，便指着趙勤道：「我是他的班長。」

「醫院的事，用不着你來管，我們自己會知道怎麼處理。」醫生冷冷地說。

王桀按奈住性子，緩聲道：「我不是管，實在是替那位同志難過。」

「你可以離開，不要聽。」說罷，對着王桀揮揮手，意思是要他滾蛋。

「你他媽的還是人嗎？」王桀已忍無可忍地大罵出聲。

趙勤死命拉住王桀的左臂勸道：「班長，這本是醫院的事，我們管不着，走罷，何苦來。」

年輕醫生的不屑態度，已惹發了王桀的性子，那不信邪的牛勁，不發作則已，發作起來便不怕天，也不怕地，怒道：「老子今天拚了這條命不要，也要管管你，別以爲當了醫官就可以神氣。」

那青年醫官見王桀發了橫，倒眞有點怕吃眼前虧，護士小姐早已見機去召請憲兵，未待王桀發作，兩個全幅武裝的的憲兵，出現護理室門口，王桀在趙勤的堅持也是挾持下，離開了醫院，被記違紀一次，也是他生平的第一次。

八

台灣四面環海，雖在戰略上採取登陸後，驅逐出海的打擊戰略，但警戒性的海防，還是不可缺少。祇是由正規軍改爲警備部隊，原爲陸軍的防區任務，現在改隸警備總部。部隊成員，多數都是原陸軍部隊中，經由新陳代謝不願除役的兵員，轉業到警總來擔任海防。

王桀這個自認金剛型的老革命軍人，在他從未預期過的那一天，因急性胃穿孔，被送進了趙勤住過的那爿五級醫院，一顆胃被割掉五分之二，按規定他已符合退除役條件，卻不符合他的志願，經過一番週折，他如願以償地分配到這個海邊小漁港戍守海防。王桀的心目中，他現在過的是一種半軍半民的生活，營房與民居之間，祇有一線之隔，當他貼近民眾愈近，也愈益勾起他的思鄉之情。

抗戰勝利之後，他回過一次家，住了沒多久，又偷着離開了。他忍受不了那種有韁繩的生活，父母的關心，對王桀來說，無如是一種束縛。意外地在這鳥不拉屎的小漁村裡，竟遇到一位與自己同年，兒時玩伴，此人姓冼名濯。冼濯比王桀幸運，早已結婚成家，一兒兩女，大兒子大女兒，大學畢業後都在台北找到工作，也都成家各立門户，逢年過節才回來探親。老冼不是隨軍來台，他是隨任職的招商局航運公司播遷來台灣的，此所以他比王桀幸運，況那個時代，「跑船」便意味着月入甚豐，女孩子都趕着搶先嫁。老冼在這個村子裡，開了一爿雜貨店，爲村民們提供方便，除老妻外，還有個小女兒作伴。據老冼自己說，他們夫婦倆偶爾到此地訪友，愛上了此地的風土人情，才決定搬來此地定居，開雜貨店純屬服務性質。

有了這麼個去處，王桀的心情漸漸安定下來，不再在回憶中找生活，也成了冼家的座上客。老冼跑過船，家用電氣品是全村家庭中最齊全的，王桀最欣賞冼家的那架電唱機，因其中附帶的唱片中，有一首王桀最愛聽的歌，「家在山那邊」。冼家的小女兒冼潔，是一個未預期的產品，乖巧伶俐，不止是冼氏夫婦，視爲珍寶，也贏得全村人的讚賞，王桀更是視於己出。剛剛高中畢業，正準備考大學，知道王桀愛聽「家在山那邊」這首歌，每逢王桀造訪，就搶先將唱片放上。若是遇上老冼要照顧買賣，王桀就留在客廳裡自便，他會一邊聽着唱機裡播出的歌聲，一邊閉上眼睛，享受着個人的遐思冥想。

有一天，冼潔突然神秘地對她母親說：「媽，王伯伯在哭。」

「別亂講，好好的一個大男人哭什麼？」

「許是想他的愛人。」冼潔神秘地笑着說，推母親去通客廳的門口偷看。

冼母被激起了好奇心，輕手輕脚地走到厨房通客廳的門後，掀開隔着的布簾，向王桀看去，見王桀真個哭得很傷心，正當冼母不知如何是好的當兒，王桀忽然如夢初醒地移開矇着眼睛的兩隻手掌，把藏在通客廳門後的冼母，駭一大跳，急忙抽身。王桀睜開眼睛，向客廳四週略一估量，站起身來，一聲不吭，大踏步走了出去。

老冼知道這事後，向妻兒嘆息着道：「想家了罷，唉！人非鐵石，孰能無情。」

事後，王桀都不敢再去冼家，冼潔曾探視過他兩次，這天正逢清明節，前晚忽有過一場大雷雨，把整個漁港及村莊，裡裡外外，清洗得潔淨明亮。一早，冼潔又來相請，恰巧李抗日跑船回來，從台北來看王桀，便約同一道來看冼濯。

王桀拎着兩瓶李抗日帶給他的洋酒，人頭馬「白蘭地」，另有一包女孩子用的化粧品，那是王桀特地囑咐李抗日給洗潔購買的，他的確很疼愛洗家的這個女兒，李抗日更爲細心，又特地買了一大盒巧克力糖。

因爲李抗日當日下午，要趕回基隆上船，洗家提早開飯。十一點不到，飯菜都已上桌，老洗是個老船員，與李抗日一見如故，兩人杯來盞往，逗起了王桀的酒性，原本病後滴酒不沾的他，也興緻勃勃地加入戰團，正當酒酣耳熱之際，闖進一名不速之客，送報紙的阿春，他跑得氣喘吁吁地衝進來，手舉着中央日報，大聲嚷道：

「王班長，我找你，找得好苦。」

阿春是漁港的唯一報童，王桀是他的長期訂户，王桀對國民黨和最高領導人蔣總統的忠貞，在這個漁港村莊裡，已是他的招牌菜。

王桀因爲心情好，笑道：「急什麼，下午再看也不遲。」

阿春揚一揚手上的報紙道：「有你要看的特大新聞！」說着已搶到王桀身前，將面朝上的第一版拿給王桀看，被鄰座的洗濯拔了頭籌，那斗大字體的頭版頭條，誰看了都莫不一目了然，全桌人都睁大着眼睛，定格在報紙的新聞上，鴉雀無聲。

王桀正左手執杯，右手握拳，舉在空中與李抗日猜拳手戰。眼中看到報紙新聞，耳中又傳來阿春的話聲：「啊！你們的蔣總統死翹翹了。」王桀突地從坐椅裡站起身，揚揚握拳的右手，目眥欲裂地大吼大叫道：「蔣總統死了，他怎麼能死，他不是說要帶我們回大陸去的嗎?他怎麽能死,他怎麽能……」聲音漸漸沉寂下去。

王桀張着嘴,似乎還有話要說,舉起的右手,揚着拳,似乎要擊出那不平的憤怒。畢竟人死不能復生,萬歲也者,既騙人也騙己。一直信守反攻大陸,拯救同胞,死抱回鄉夢的王桀,一旦那延續他生命之火的希望破滅,他的生命之火也就跟着熄滅了。

祇有「家在山那邊」的歌聲,不絕如縷。

于忠

一九六五年夏夜——一片漆黑，風像發怒般，狂嘯著猛撲過來，捲起幾丈高的浪頭，撞向海邊的礁石，一聲暴響過後，便是散落的碎片。隨後又是另一個浪頭的掀起，如泰山壓頂般罩上那飽受摧殘的礁石，好似不這般惡毒地轟擊，就不能抒發出胸中的積忿，和難以渲泄淨心中的仇恨。通常在這種情形下，雨也是個落井下石者，它挾在風裡面仗勢欺人，一會兒雷霆萬鈞，似利箭般，萬箭穿心，一會兒又如文君新寡，如慕如訴，別以爲她楚楚可憐，腳底下要是忘了留神，說不定就會來個四腳朝天，掉到爛泥裡，摔個紮實。

距離海邊不遠處，有一條約十公尺寬的石砌道路，名叫海濱路，一式的磚造瓦屋平房，是很中國化的。從半日化的台灣來到這兒，最容易勾起去國懷鄉的感傷。七三三一部隊的成功隊，便是駐紮在海濱路的一棟民房裡，金門島是個僑鄉，華僑們在海外掙了錢，總不忘先回鄉製產置業，以便有朝一日落葉歸根，成功隊佔用的，便是全家人都在南洋經商的僑產。全隊除了指導員之外，都是百中選一受過特種訓練的兩棲強人，一個個胸肌突現，闊臂肌，三角肌，活像是皮膚底下墊了個饅頭，脹鼓鼓地，如果選金門先生，這些人無疑都是最具資格的候選人。

一輛裝上邊蓬的吉普車，似鬼魅般冒著狂風暴雨，駛到成功隊駐紮的民房前停下，兩個黑色人影從車上跳下來走了進去。約莫三十分鐘光景，進去的兩個人帶著一個壯實的漢子又走了出來，鑽進吉普車，引擎的發動聲愈去愈遠，夜又歸於沉寂，仍舊屬於風雨所有。

風不肯歇，雨也不肯止，這兩個製造是非的東西，好似這個世界已經失去了主宰，任得它們猖狂肆虐。不是麼，這陣子雨已下到了二百五十公厘，風也大到了七級，還在一個勁地有增無已。成功隊的早點名一慣是在早餐桌上舉行的，值星士官清查過人數，便大聲地向隊長報告道：「報告隊長，于忠不見了？」

「嗯，開動。」隊長沒有正面答覆值星士官的話，卻發出「開動」的命令。

值星士官轉述隊長的命令後，也就坐下來用早餐，平常的早餐都是很熱鬧的，因爲飯後便有人要出海巡邏，大夥兒借這機會談會兒心，或交換一些意見。但這一天的早餐，好像是感染了風雨的恐佈，除了悉悉的咀嚼聲音，便聽不到一句話聲。最後，還是隊長的聲音打破了這令人窒息的沉寂。

「各位同志，今天的巡邏任務停止，待會兒指導員回來，有事情向大家報告。沒有事情的人，不要亂跑，吃過飯的可以下去自由活動。」

「報告」人叢裡面有人大聲地叫道：「李進，你有什麼事？」隊長命令地說。

李進站了起來，面朝向隊長，關切地問道：「隊長，于組長到底發生了什麼事？」

「我祇知道是被治安單位帶走了，到底爲了什麼，我也不清楚，爲了大家的安全起見，還是不要管爲妙。」

「治安單位也不能憑白無辜的抓人呀！」李進抗聲地反駁著。

「李進，我知道你跟于忠很要好，但這件事，不是你我能夠過問的，國家有國家的法律，他們不會亂冤枉人的。」

「隊長……」

「不用再說了，」隊長搶著說道：「你去把于忠的行李收拾一下，把他的那架收音機送到指導員房裡去。」

李進無精打彩地回到寢室，將于忠的棉被用草蓆捲好，送到儲藏室。又將于忠的內務，仍照往常一樣，在他的床上放上一條折疊得像豆腐干一般的軍毯，還在軍毯前面擺上他的鋼盔。看著一切都整理妥貼了，才搭訕着找同事們閒扯。大家盡量避免談到于忠，只扯些軍樂園或者附近街坊上的大姑娘大嫂子閒話。說也奇怪，平常日子一些覺得有趣的事，這天說起來好似嚼蠟般無聊。不久聚會便自動地散了，有的人乾脆躺倒床上去挺屍。

指導員直到下午三點鐘才回到隊上，腋下挾著一包書籍，並立即命值星士官集合隊伍，將帶回來的書籍每人發給一本，原來是「總統訓詞」第X冊。大家靜靜地按原坐次坐在餐廳裡面，等待著指導員發言。于忠的失蹤，使得每個人都感到惴惴不安，大家都希望儘快地搞個水落石出，免得這樣子踩鋼絲繩似的，吊在半天雲裡上下不得，情緒似拉死了的彈簧，綳得緊緊地，不留一點伸縮的餘地。

指導員終於發了話，他說：「大家打開第三頁，今天閱讀『反共抗俄基本論』。」

二

這晚李進躺在床上，翻來覆去，一直不能入睡，他右腿受傷處，感到隱隱地作痛，這幾乎是每逢到陰雨天必有的現象。他由傷處的痛楚，又想起了被治安單位帶走的于忠，要不是有他，自己只怕不僅是留點腿傷而已，可能連命都賠進去了。

那是半年多以前，一個月黑風高的夜，他們奉命去大陸摸哨。六個人分成兩個小組，于忠是組長，帶領著李進和成功隊另一個隊員，三人駕著一隻橡皮小艇，副組長領著一艘同樣程式的橡皮小艇，趁著漲潮的時候，向廈門港進發，船在越過二擔不遠的海面上，被共軍的巡邏艇發現，于忠用訊號通知副組長，著他向後撤退引開共軍的巡邏艇，自己則發動第二具引擎，向廈門港急進，橡皮艇在風浪裡如疾矢般，向大陸的海岸射去。駛至距離灘頭陣地一千五百碼處，又被岸上的守軍發現，機槍彈像雨點般射了過來，橡皮艇中彈穿孔，不能再浮載人員。同時，李進也中彈負傷，于忠在這個緊要關頭，當機立斷，棄舟泅水，把中彈負傷的李進背對背地綁上，順着退潮的水勢，向外海游去。

另一個隊員跟在于忠的後面，監視着對方的動靜，此時岸上的共軍，不斷用探照燈搜索著于忠一夥人的行蹤。每遇探照燈射了過來，于忠便被迫沉下水去，李進雖然也是擅長泳術的，但在傷痛中，早已昏迷了過去。跟著于忠的一沉一昇，喝了不知多少的海水。

待到于忠游到大擔，被自己守軍救起時，李進已昏迷不醒人事了。

李進被迅速地送去醫院動手術，取出一顆遇著骨頭折在裡面的機槍彈頭，足足住了一個月醫院，才復元歸隊。住在醫院的一個月中，于忠是常常來陪伴他的，他喜歡于忠那種懇摯中帶點憂鬱的性格，除了收聽中央廣播電台的廣播節目，他幾乎沒有任何嗜好。成功隊的工作性質比較特別，可說是一種從事生命冒險的賭博。即以平日的巡邏任務爲例，每天上下午，固定地必須派出兩組人，出海作例行的巡邏。到了嚴冬的臘月天氣，出海時，仍然是光著身子，僅穿一條紅色短褲，一方面要注意對岸共軍放過來的偷襲，一方面還要與寒冷博鬥。爲此，成功隊隊員們的伙食與俸給，都比一般部隊成員高出許多，這使得他們成爲軍樂園窯姐兒心目中的寵兒。爲此之故，成功隊的人與其他部隊的人勢成水火。常常爲了爭風吃醋而兵戎相見，甚至出動戰車助威。這些事故的發生，大多是因爲成功隊的人持財逞驕搞出來的亂子。但于忠卻不是這一號人，他出任務時，是出了名的勇、狠、穩。而平常的作息時間裡，他又是恪守軍紀的好士官。他從不亂花錢，每到發餉，他除了買點應用的日常用品，餘下的全部寄回台灣，給他的一位小學同學。據說：那人非常好學用功，一心祇想考留美。

前不久，終於考取了美國軍事學校的某士官班，去美國受訓了。這之後，他才把餘錢拿來買軍中儲蓄獎卷。于忠逢人便誇獎他那位同學，如何有恆心毅力，不像他自己死沒出息。閒時，他也拿話來勸過李進，好歹求個出身，考個後補軍官班什麼的，總比一輩子當兵強著些。

李進聽了于忠的話，也曾私底下發過狠，拚著不玩不嫖，說什麼也要搞個把軍官班混混。但整天在死亡線上掙扎的他，要掙脫那個死的威脅，談何容易。剛許下的心願，一到出任務，便會忘得一乾二淨。何況還有同夥的人不斷來拉扯，不是逛軍樂園，就是湊份子打百分。唯獨于忠好像生活在另一個世界，他對身邊的這些人，真是視而不見，對他們因女人而起鬨的吵鬧，能夠聽而不聞。一個人躺在床上聽他的收音機，既不膩，也不會覺得煩。人家都臭他，說他迷上了那收音機裡的女播音員，他也不否辯。因爲他有這麼多好處，一向是隊長及指導員心目中的模範人物。今年出任務時，又先後救過兩個人回隊，故在今年的克難英雄選拔會上，他已被全票通過，選爲金門的克難英雄之一。像于忠這樣的人，還會被治安機關逮捕，這情形太令人迷惑了。如果于忠真是匪諜的話，那不太可怕了嗎？李進想到這裡覺得頭痛極了，他感到腦門在發脹，身上也在出汗，這樣熬過了五更天，才迷迷糊糊地睡著了。

三

李進第二次負傷，是左上胸被共軍機槍擊中，取出三粒子彈，也被迫割去一片肺葉，在後方醫院療養了將近一年，才告出院。由他在供應司令部服務的一位老連長的幫助，派到一個後勤倉庫擔任文書工作。報到的這一天，單位主管聽說他在成功隊服過役，便指著另一間辦公室的窗戶道：「那邊也有一位成功隊退下來的士官，人很規矩老實，他的身體好像比你還要壞，他比你先來，可以幫你熟悉一下環境。」李進祇漫應了一聲，並沒放在心上，就退了出來。辦妥報到手續，找到自己的寢室，攤開行李，一頭倒到床上睡着了。

一覺醒來，已是傍晚時分，朦朧中似乎有個人影站在床邊。李進先是一怔，覺得那人的面容好熟，但又想不起在那兒見過。祇見他兩顴高聳，眼眶下陷，上眼皮像個蓋子搭在下眼眶上，脊背微駝，瘦骨嶙峋地佇立一旁，惟獨露齒微笑時，彷彿有點像是于忠。莫非真的有鬼不成，李進雖然是個出生入死，身經百戰的老兵，但像這樣子面對著一個似人非人，似鬼非鬼的物體，還真有點發毛。不禁脫口驚叫道：「你到底是人還是鬼？」

來人收斂起笑容，藹聲道：「小李子，你是不是睡昏了？」

一聽來人聲音，李進耀身急呼道：「你是于組長。」

來人點點頭。

「組長，你怎麼變成這個樣子了？」李進激動地問道：「這兒不是說話的地方，我們出去找個地方吃飯，算是我給你接風，再好好地聊一聊。」于忠說罷，向後退出一步，好待李進起身。

李進一骨碌跳到地上，扳住于忠的肩膀嚷道：「走！組長，該我請你，我有好些話要跟你說。」

兩人在駐地附近的一爿小吃店裡，找到一個座頭坐下，李進要了酒菜，跑堂的小妹送上一瓶清酒及兩個酒杯，于忠退還一個道：「小妹，祇要一隻杯子就夠了。」

「怎麼？組長，你連酒也戒了？」李進好奇地問道：

于忠搖搖頭，一面解釋道：「我現在的身體連胡椒都受不住，更別說是酒了，一滴也不行。」

「怎麼會搞成這個樣子？」

「說來還算是我家祖上積了德，政府的寬大為懷，否則，我這時候祇怕連命都賠進去了。」

「組長，你真有那麼回事嗎？」李進含糊地問道：「你別把事情想歪了，你看我是那號人嗎？別說要我做匪諜，即使要我做共產黨的官，我還嫌它骯髒呢。」于忠慷慨激昂地辯解道：「那他們又是為了什麼呢？」李進困惑地說。

「你還記得，我每個月寄錢接濟我一位小學同學讀書的事吧？」

「莫不成事情就出在他身上?」

「不錯，就是為了他，才搞得我九死一生。」

「你們從小一塊兒長大，還會把他看錯了。」李進不解地問道：

「事情的真相到目前為止，還是一個謎，但他回到了大陸倒是千真萬確的事。」

于忠說到這兒，跑堂小妹已送上飯菜，便拿起筷子讓道：「我們還是邊吃邊談吧。」

「那他是有計劃的逃亡嗎?」

「也很難談，他是在美國受完訓，回來的時候，打日本溜掉的。」

「這與你有什麼相干?」李進憤然地說。

「可是搞治安的人，卻不能像你我這樣的想法，都跟你我一樣的簡單，那台灣不早就成了匪諜世界了嗎。」

「可是抓匪諜也不能瞎抓一通呀!」

「老弟呀，我們現在是在跟敵人作戰，不是請客吃飯。」

「你我也是敵人嗎?」

「誰知道呢?敵人又沒在臉上寫字。」

「組長，你好像是周瑜打黃蓋呢!」李進氣不過地諷刺道：「話不是這麼說，老弟，我是身受過來的人，我們也得替政府想想，政府也有政府的困難。」

「那麼，他們把你抓去幹什麼呢?」李進把話題拉回來問道：「他們大概懷疑我幫助那位同學讀書是個預謀，所以不分青紅皂白的把我關了起來。」

「不祇是關關就算了吧？」李進毫不放鬆地追問著。

「俗話說閻王爺請客，已經上了生死簿，能逃過鬼門關就算幸運的了。唉！我算是撿回來一條命，如果他們稍許狠一點，我還能活著出來嗎？所以，老弟，我們凡事都得退一步想。」于忠解嘲地說著。

「我看你的身體是大不如前了。」李進關切地說。

「唉！命都幾乎保不住，還管他什麼身體。」

「你被他們關了多久？」

「足足八個多月。」

「他們問你些什麼呢？」

「一句話，問我爲什麼要接濟他讀書？」

「你怎麼說？」

「我說祇覺得自己應該拉他一把，至於爲什麼要拉他一把，我也搞不清楚。」

「這不是很滑稽嗎？」

「所以他們不肯相信嘛。」

「你這不是自找苦吃。」

「我不是說過了嗎，一個人進到那裡面，就好比進了鬼門關，即令出得來，也沒人樣兒了。」于忠平靜地訴說著。

「我在想，他們爲什麼要把你放出來？」李進疑慮地說。

「這就是我剛才說的，政府有政府的難處，他們不能放鬆每一個可疑的人，但也不願意冤枉好人。我雖然吃了不少的苦頭，還是覺得我們的政府比共匪要好得多，他們是寧願錯殺一百，也不要漏掉一個。」

李進突然拿起酒瓶，對準自己的嘴，咕嘟咕嘟喝了個底兒朝天，問道：「組長，你真的不喝了？」

于忠搖頭嘆道：「不行，老弟，我這個胃，如今像個紙糊的，連飯菜都承不住，別說是酒。」

「組長，」李進突然將話嚥了回去，兩眼直勾勾地瞅著于忠，嘆了口氣道：「唉！不說也罷。」李進的臉色像豬肝般赤紅著，也不知道是因爲酒，抑或是忿怒使然，眉宇間擁著濃濃的殺氣，這是在戰鬥中都少有的現象。

于忠見情形不對，安慰地勸道：「老弟，怪祇怪我們生不逢時，遭此亂世，能夠保住命，就是福。」

「組長，連敵人都沒這麼整過我們，你今天卻……唉！」說著又拿起酒瓶，將瓶口對準自己的嘴，倒灌著，實在沒有酒，才用力地向桌上一擱。

「老弟，我的事到此爲止，倒是你自己怎麼掛的彩，也給我說說。」

「還他媽的有什麼好說的，從今以後，再要想我李進賣命，我是他媽的這個。」說罷把手一比。

于忠見狀，惶恐地向左右前後環視一週，才壓低嗓子警告道：「小李子，你小聲點，犯不著羊肉沒吃到，惹他媽的一身腥。」說罷，搶先會了帳，拉起李進衝出小吃館，沒入街上人叢中。

四

發餉的當天晚上，指導員派人來找李進，去他房中打百分。李進不好意思推卻，便去應酬一下，直打到深夜十二時後，才回到寢室，于忠正斜在李進床上等他。

李進驚異地問道：「組長，你有事找我嗎？」

「從今以後，少和那夥人往來，那傢伙有些不乾不淨，你得留點兒神。」

「我因爲剛來，不好意思……。」李進委婉地解釋道。

于忠打個手勢阻止道：「我知道，往後跟他隔遠些。」說罷也不打招呼，竟自去睡了。

李進的與于忠接近，在他二人看來，是很自然的事情。但看在指導員眼裡，卻有另一種解釋，他認爲李進是受了于忠的籠絡或控制。

于忠因爲身體太弱，又因個性使然，一向很少外出，直到李進來後，他才偶爾在晚飯後，一同去後山坡上散散步。一次也是在後山坡上，于忠覺得走累了，要求揀一塊石頭坐下來休息一會，李進自是沒有意見。兩人便在山石間坐了下來，李進忽然想起一事，問道：「組長，你爲什麼不寫封信，去把你那架收音機要回來？」

「我剛出來不久，在司令部碰到了隊長，據他說，我們部隊也隨師換防回到了台灣，現在在南部基地集訓，指導員已經調到別的單位去了，那架收音機下落不明，還要個屁。」于忠緩緩地說。

「準是他媽的指導員吞掉了。」李進一聽，牢騷就來了。

「沒有証據的事，不好亂說。老弟，不是我說你，對這起人，我們無論在人前人後，都不可以表示態度，犯不著招惹是非。」于忠勸解地警告著。

「他媽的這一群又脫褲子又蓋牌坊的狗娘養的東西，總有一天會落到老子手裡，整他們個不死不活。」于忠的話，李進不但聽不進去，反而牢騷更多了。

「老弟，你惹得起，我可是惹不起。要幹你一個人幹，別拖我下水，從今以後我們還是少來往爲妙，免得出了事連個送牢飯的人都沒有。」于忠有些賭氣地說。

李進表示歉疚地解釋道：「我也是憋不過，才發幾句牢騷，誰不知道，胳膊還能扭過大腿嗎？」

「你知道就好，徒逞口舌之快，花得來嗎？」

李進見于忠真的有點生氣的樣子，乃改變話題道：「組長，你來了這麼久了，怎麼沒再買一架收音機呢？」

「我現在吃藥的錢都不夠，那還顧得買收音機。」

「你那中藥吃了有用嗎？」李進懷疑地問道。

「好像還不錯，比起剛出來的頭幾個月，已經結實了不少。」說罷，便抝起左臂，想露一露左臂的三角肌，以証明自己還有本錢。可憐，哪還有什麼三角肌，連皮都扯不緊了，于忠看到自己這副模樣，也不禁發出了英雄氣短的感喟，訕訕地站起身來說道：「走吧！我們也該回去了。」

李進隨在于忠身後下山，看著他那軟弱巔躓的樣子，默默地嘆了口氣，那大海中救生脫死的一幕，不覺又湧現在他的眼前，那個生龍活虎的于忠，於今是死掉了，剩下的僅是個病殘的軀殼而已。

五

一個週末的傍晚，于忠正獨自無聊地留在寢室裡讀報。李進突然從外面衝進來嚷道：「組長，我算定你會在這兒，你看，這是什麼？」說著左手高高地舉起一件物事。

于忠抬頭一看，見是一架電晶體收音機，心裡已經明白了幾分，嘆了口氣道：「唉！

你何苦爲我花這麼多錢。」

李進顯得滿不在乎地道：「組長，你別以爲它好貴，才花了我兩個月的糧餉。」

「八百塊錢是你兩個月的糧餉嗎？」于忠責備似地問道。

李進略顯慚愧地低下頭去，輕聲道：「也差不了多少。」

「差得遠哩，你得跟我說明白了，其他的錢是那兒來的？」于忠像審訊般盤問道。

「賣了五百塊錢儲蓄獎卷。」

「這又是何苦？」

「組長，你覺得它是好大的一筆人情是不是？」

「以我們的收入來看，它的確是夠大的了。」

「如果說人情大，還能大過一條命嗎？」李進有意提起當年成功隊的事。

「再不要提以前的事，你以後也不許叫我組長。」

「不許提以前的事可以，你得收下我這個小不點兒。」李進把那架巴掌大電晶體收音機，遞給于忠。

「算是我借你的，錢，我分期攤還給你。」于忠也開出了自己的條件。

「組長，你是不是想要我還你一條命？」李進笑著逼進一步說。

「小李子，我們剛剛講好的，你就不遵守了。」

「你沒有接受我的條件，那不算數。」李進刁滑地狡辯著，一面將收音機塞進于忠的手裡。

于忠苦笑道：「好吧，我們暫時記住這筆帳。」便打開掣扭，選了個電台，不偏不倚——正是中央廣播電台對大陸的廣播節目。

李進見于忠開心地沉入了廣播節目中，便也開心地蹓了出去。走出寢室不遠，迎面碰上指導員，叫住他道：

「李進，你到我房裡來一下，我正有事要找你。」

李進扭過頭來撇了撇嘴，走向指導員寢室道：「是，指座。」正說著已一腳跨了進來，並舉手敬了個禮。一切都在程式以內，決不留有讓對方挑剔的餘地。

「你坐呀！」指導員手指著李進身旁的一張椅子說。

「是：」李進又鞠了個躬，才一屁股坐了下來，續道：「指座有何指示？」

「咱們這是私人聊天，不要太嚴肅。」指導員露出一排黃板牙，細瞇著兩隻眼睛，討好地笑著說，並將桌上的克難香煙抽出一支遞給李進。

「謝謝指座，我不會。」李進推讓道。

「你連煙都不抽，一定存下不少錢了吧？」指導員陰笑地試探著問。

「籠總就那麼幾個錢，有什麼好存的。」李進漫聲地答。

「你別看它少，積家猶如針挑土，祇要你肯攢，幾年下來，也是不少。」指導員鼓勵地解釋道。

李進搖搖頭道：「我不是那號人。」

「我看你也蠻不錯的，薪餉到現在還沒有借過。」（註：那時國軍規定每人允許透支兩個月薪餉。）

李進似乎在想心事，沒有注意聆聽指導員的話，那知指導員的話中還有話。

「我有件事，想跟你打個商量。」指導員見李進默不作聲，以爲他承認了未曾透支薪餉的事。

「指導員有什麼事，指示下來就好了，何必這麼客氣。」

「這個不同，這是私事，得另當別論。」指導員又陰笑著瞇起兩隻細眼。

「那麼指座要我做什麼呢？」李進疑惑地問道。

「我想替你借兩個月餉。」指導員有點羞赧地不敢正視李進。

「我昨天剛借過了，而且今天剛剛用完，指座，你怎麼不早幾天說。」李進埋怨地說。

「你撒謊，我上個星期還看到你的薪餉手牒。」指導員顯然是老羞成怒了。

「指座不信，不妨看一看。」李進從便服上衣口袋中拿出薪餉手牒，翻了開來送到指導員一邊去。

經過一番仔細檢查，証實李進的話無誤，便陰陰地問道：「誰慫恿你去借的？」

「沒有哇！是我自己去借的。」

「幹什麼用要借這麼多錢？」

「指座一定要知道嗎？」

「嗯！我非知道不可。」

「我買了一個電晶體收音機送給于組長。」

「啊！原來是他，那就難怪了。」指導員的面部表情，極爲複雜，停了一會忽道：

「李進，你跟于忠同過事，對他的爲人不會不清楚吧？」

「他曾經是我們隊裡選出來的克難英雄，前後救過兩條命，其中一個就是我。」

「不對吧，根據資料記載，他好像出過很大的紕漏。」指導員曖昧地向李進提示。

「如果他真的有問題，政府也就不會讓他出來了。」李進本能地爲于忠辯護。

「他的資料現在仍在管制期間，隨時都有再進去的可能。」

李進聽到這裡，不禁打了個冷顫，不是爲自己，而是爲于忠，既憤怒又緊張。

指導員見李進那副緊張的樣子，以爲是被自己的話赫倒了，更加強語氣地指示道：

「既然你們兩個人時常在一起，我現在就給你一個任務。」說到這裡故意打住話頭，獰視著李進。

李進也豪不示弱地瞪視著指導員，問道：「什麼任務？」

「負責監視于忠，每星期至少給我三條資料。」指導員嚴肅地吩咐著。

「對不起」李進說著站起身來續道：「我沒有學過。」舉手敬了個禮，便掉頭衝了出去。

指導員的臉，由紅轉紫，又由紫轉白，再由白透青，最後是死一般的慘綠。

六

于忠自從有了電晶體收音機之後，恢復了不少往日的歡笑。雖然生活變得更爲規律化，刻板化，但從日常生活神態舉止來看，已恢復了幾分活力，工作效率也顯著地提高，他管理的那個被服倉庫，已整理得井井有條。唯一美中不足之處，是中廣的節目小姐換了人。于忠每當聽到這個節目時，便覺得滿不是滋味，這個情緒上的細微變化，除了李進，不會再有人注意的。間或也有人奇怪，于忠爲什麼突然改變了，卻沒有人去留心他改變的原因。

中秋節的前一天晚上，李進回來得比較晚，左腳剛剛跨進寢室，就發現于忠不在床上，乃走到床邊詢問于忠鄰床的同事。人家告訴他，于忠被指導員叫去了。李進沒忘記指導員的話，于忠還在管制期間。但回心一想，于忠最近的表現，應該不會有什麼問題，因爲他已經是同事們公認的標準模範士官。想是這麼想，但心底裡仍是感到忐忑不安，便靠在于忠床上等他回來，好問個究竟。沒料到一忽兒功夫，竟是睡著了。矇矓中有人搖著李進的腳踝，他警覺地一個翻身坐了起來，睜眼一看，見是于忠，便急不及待地問道：「他媽的！那癟三找你幹什麼？」

于忠不直接回答李進的問話，岔開話題道：「走，跟我一塊兒去吃點宵夜。」

李進隨在于忠身後，默默地走了出去，直到在一爿小吃館裡找到了座頭，李進才又急切地問道：「那王八蛋狗娘養的東西找你幹什麼？」

「你決想不到他動的是什麼點子。」于忠悄悄地說。

李進張著嘴、瞪著眼，死盯在于忠臉上。

于忠見李進急成這副模樣，反倒笑了起來，解釋道：「他要借我的收音機。」

「去他媽的……。」李進待要再罵下去，見跑堂的小妹走了過來，便點了幾樣吃的，回過頭來又問道；「總也得有個理由吧？」

「他說他的女朋友家裡住在鄉下，那兒沒有電，明兒晚上他要陪她回家團圓賞月，想借個電晶體收音機去熱鬧熱鬧。」

「他他媽的有人家去團圓賞月，還嫌不夠熱鬧，還要借電晶體收音機。咱們這些沒人家去團圓的，還要把收音機借給他。」李進的老毛病又開始發作了。

「事情還沒完哩！我說收音機是我的唯一精神寄托，不能借。他說我現在還在管制期間，一切都操在他手裡，叫我好好考慮考慮？」

「管制又怎麼樣，他他媽的還能夠無中生有嗎？」

「所以我當時就給了他回答，我說：『指座，很對不起，我不能夠從命。』說完我就轉身走了。」于忠那樣子就像是甩掉了肩上的包袱，顯得輕鬆而愉快。

「話是這麼說，咱們總得防著他點兒。」李進耽心地說。

「要來的終歸要來，是禍躲不過，躲過不是禍，聽其自然吧。」于忠在命運的播弄之下，喪失了求生的鬥志，喪失了生存的活力。他活著是把生命放在時間的消逝上，和那不可安排的命運之下，等待著結束或裁判。

事情就這麼僵持著過去了，一個星期，兩個星期也過去了，指導員似乎沒有再追究的意思，于忠和李進兩人對這件事情慢慢也就淡忘了。

七

雙十節過後一個星期一的上午，司令部政三處突然派來一位檢察官，就是來調查收聽匪區廣播的。全庫有收音機的人不少，除了于忠，其他擁有者均是軍官，大都是爲了方便收聽空中英語教學。衹有于忠一個人是收聽中廣的對大陸同胞廣播節目。故當于忠聽到這個消息時，心裡面十分篤定，認爲與自己不相干。沒想到第一個被傳訊的就是他，而且是衝著他來的。調查室設在指導員房間內，檢察官驗明正身以後，衹問了他幾個簡單的問題，就叫他離開。其後，便是傳訊証人，所傳訊的都不是與于忠相鄰的人，對于忠的案情都無法作出肯定的答覆，最後一個是李進。

「你就是李進？」檢察官嚴肅地問道。

「是的。」

「你爲什麼要送一架這樣貴的收音機給于忠？」

「于組長曾在金門成功隊救過我的一條命。」

「那是說你爲了報答他？」

「當然。」

「他以前就有聽廣播的習慣？」

「是的。」

「都收些什麼節目？」

「中廣公司的對大陸同胞廣播。」

「胡說，分明有人聽到他收聽匪區廣播，你還爲他狡辯。」

「是什麼人聽到過他收聽匪區廣播的？」

「這不關你的事，你祇須把你所知道的從實說來，你知道包庇匪諜是與匪諜同罪的。」

「我知道的都說完了，該怎麼辦，檢察官看著辦好了？」李進把心一橫，乾脆說他個痛快。

這一天，檢察官直到下班前才離開指導員的房間。到底搞了些什麼名堂，沒有人知道，也沒有人敢於想去知道。其他幾個有收音機的軍官，晚飯後也不敢收聽定時的空中英語教學了。有那大膽一點的，也把音量控制到盡可能地小。

又是一個星期過去了，事發的第三個星期二上午，軍法處的傳票送來了，軍事檢察官開庭傳訊于忠，于忠與被列名的証人一夥，由庫方派了一輛專車，送到司令部軍法處。下午一時左右，軍事法庭檢察官開偵查庭，所問問題，與政三處檢察官大同小異。約莫一個多鐘頭，偵訊結束，于忠當場被扣押。如果身邊有武器，李進一定會來個大鬧法堂的。還是于忠沉得住氣，聽到宣佈，便一把把李進的胳膊撈住，大聲說道：「小李子，我以後還要做人，還要活下去，所以我願意接受軍法的公平審判，你安心的回去，我沒有做犯法的事，相信不會有什麼事的。」

李進低著頭，右手手指盡顧著在眼皮上擦來擦去，同時鼻涕也流了出來，乾脆掏出手帕來擦了個夠，才抬起頭來對于忠咽聲說道：「組長，這一次是我害了你。」

「我早就跟你說過，是禍躲不過，躲過不是禍，要來的終歸要來，誰也擋不住的。」

「組長，你放心，拚著這條命不要，我也得爲你想想辦法。」李進輕聲地低語道。

「這種事跟瘟疫一樣，任誰也招惹不起，你還是少管閑事爲妙。」

兩人正說著，兩個憲兵走了過來，一把就將于忠套上了手銬，牽著走了。另一擋住李進向前邁步的身子，一聲不響地橫了一眼。李進便眼睜睜地看著于忠被關進了軍法處的囚車。他將兩手搭在椅背上，將全身的力氣都貫注到兩掌上，那張椅子被李進壓得咯吱咯吱作響，良久，才見他揚起頭作了個深呼吸，獨自離開了那間偵查室。

第二天，李進請了一天假，跑到司令部找到他以前的那位老連長，把于忠的案情，仔仔細細地說了一遍，那位老連長聽罷直搖頭。

「李進，別的事我都可以幫忙，唯獨這件事，我真是愛莫能助。」老連長露出一臉無奈的歉意。

「連長，我求你盡盡人事，這件事完全是因我而起的，你叫我心裡面怎麼過得去。」李進哀告著說。

李進的老連長想了想，忽見他下決心似地說：「盡人事就盡人事吧，不過，我有幾個條件——」

李進搶著說道：「需要多少錢？連長盡管說。」

老連長搖頭道：「你想左了，我沒有這種路子，我的條件是第一不許催。」

「哎呀，救人如救火呀！連長。」

「你看，你就來了，我當然知道事情緊急，但急也是急不來的。第二不打包票。第三你不可以胡來。」

「但您總得給我個期限吧？」李進仍是不肯放鬆地緊逼一步。

「一定在審判庭開庭之前，給你消息。」老連長算是給了一個肯定的答覆。

八

李進並沒有遵守約定，每天以一通到三通電話的密度，打到司令部那老連長辦公室去催問。到後來，那邊接聽電話的人，一聽到他的聲音，便把電話掛斷了。他就央請同事們幫忙，但對方似乎比他更精明，衹要聽說是找某人，盤問得極爲仔細。李進在情急之下，經同事介紹找到一條黑路。一個某單位的士官，答允爲李進去軍法處疏通，條件是現款五千元。李進在第二次負傷住院期間，曾節存了三千五百元，爲了買電晶體收音機用掉五百元，尚存下三千元，都買了儲蓄獎卷。幾經週折，才以四千元成交，先付一千五百元，有了進一步消息之後，餘款便需一次付清。李進豪不考慮交給來人一千五百元，餘下的工作是如何籌措不足的一千元。正當李進爲這不足的一千元搞得焦頭爛額之際，他那個老連長的消息來了，李進如約來到老連長的宿舍，兩人縮在走廊的角落裡，輕聲地討論起來。

「情形不甚樂觀，原因是碰上這類案子，沒人敢負責。」老連長分析地說。

「連長，我找到了一條路子。」李進安慰地說。

「慢著，你那條路子，不說我也能猜出幾分，你先讓我把進行的經過講給你聽，然後你再決定要不要走你那條路。」老連長半商量地說。

「好的，連長，您說吧。」李進恭謹地答道。

「我托人找到了承辦于忠案子的軍事檢察官，據他當面對我說的，他也知道証據不足，他更知道這類案件，往往牽扯到人的關係諸多，就因爲這人事恩怨的糾纏，往往也使辦案的人產生許多顧慮。他直接了當的告訴我，他種案件都好商量，唯獨這類案子，他不能不起訴，最後，他給我打了一招太極拳，要我去找軍法官。」

「您找到沒有？」

「我也找到了，情形幾乎是差不多，但經我們將案情仔細分析的結果，所有証人的証辭，都是對于忠有利的。軍法官倒是個好人，他說他唯一能辦得到的，是將于忠的罪行免掉，改判個感化。」

「那不還是要坐牢嗎。」

「不錯，據他看同樣是坐牢，但感化出來可以退役，還有找到工作的機會。要想他不坐牢，是辦不到的了。」

「連長雖然這麼說，但我還是想要盡盡人事。」李進堅決地說。

「李進，找黃牛也是犯法的，你得小心點。」老連長警告道。

「我除此已別無選擇。」李進絕望地哀聲道。

「他們要你付多少錢？」

「四千。」

「你都付了？」

「祇付了一千五百塊。」

「聽我的話，李進，省下你自己的錢吧，別說是四千塊錢，就是四萬塊，你也買不回他，我不會騙你的。」老連長同情且懇摯地說。

「他要坐多久？」

「多則五年，少則兩年，這是我個人的估計。」

「我的天哪！五年！那是好長的一段日子？」李進幾乎是哀號地說。

「表現得好，還可以提前保釋。」

「誰敢去保呀？」

「到時候再說吧。」老連長安慰地答道。

「那麼開庭的日期？」

「就在後天，好像下個星期一宣判。」

「檢察官會不會提起上訴？」

「他們還不至於那麼缺德，除非被告自己不服，要提請上訴法庭覆判。」

「以連長的看法，上訴到覆判局會不會好一點？」

「李進，我祇能告訴你一個原則，于忠的案子不比一般的刑案，有一定的量刑標準。于忠的案子的量刑是很自由心証的，故上訴到覆判局，會不會有利?都很難說？」

「照這樣說，祇有認倒霉了。」

走。

老連長把手一攤，尷尬地笑道：「那是唯一最笨的聰明法子。」

「連長，時候不早了，我該回去了，謝謝您，再見。」李進舉手敬了個禮，轉身就走。

「李進，你那條路……？」老連長關切地問道。

「我看走也是行不通的。」

「你知道就好了，再見。」

九

星期五的上午，軍法處開審判庭，辯論于忠的案子，軍事檢察官簡短地訴請法庭，予于忠以應處的刑法。審判官方面，因有李進老連長從中疏解的緣故，在原有証人之外，又傳証于忠的兩名左右鄰床。這兩人的証辭，証明于忠的無辜是最有力量不過的了，他們一致否認于忠曾收聽過匪區廣播。原告席上，坐著自稱掌握著于忠一切的指導員，最令人可恨的，是出庭爲于忠辯護的公設辯護人，辯護時活像是一個啞巴，簡直把李進一夥人氣了個半死。約莫搞了三個鐘頭，庭上才宣佈辯論終結，下星期一宣判。

宣判這天，李進一大早就趕到軍法處等候。十點整，于忠被帶上法庭聆判，軍法官宣讀判決書時，眼珠子不時地從舉著的判決書上沿向全場蹓躂著。祇聽他高聲唸道：「于忠以收聽匪區廣播，觸犯陸海空軍刑法第X條第X款，被提起公訴，該案因証據不足，宣判無罪，但為儆效尤，改判服感化教育三年。」

「我的媽呀！」李進下意識地叫了起來。

待軍法官等一眾人都散了，于忠徵得在場監護的憲兵同意，向李進停身的地方走了過來。李進撲了上去，抓住于忠顫聲道：「組長，我害了你。」

從事發一開始，一直在法庭上保持緘默的于忠，終于開了口，他的聲調平靜，卻聽得出話聲裡充滿了自信，于忠道：「小李子，要來的終于是來了，我雖然還要坐三年牢，但我看得出，這不是軍法官的意思，你都聽到的，他說我沒有罪，有了這一點，我坐三十年也是心甘情願的了。」于忠說到這裡，見兩個憲兵已在一旁等得不大耐煩，扭過頭去說聲「再見」，便大踏步地走了出去。

李進一反常態地沒有急著去看望于忠，衹每個月托人捎些香煙給他。李進一個入伍時的同學，由後補軍官班畢業後，被分發在關押于忠的那個感化所裡，擔任警衛排長。李進有事，都是托此人的便，帶信給于忠。

十

八個月後，李進使了一點技巧，獲准自XX後方醫院退役，臨離營的前三天，一個大颱風的夜晚，經過一番安排，他來到感化所看望于忠。

感化所是一棟屹立在田隴中的正方形建築物，四面都是三丈多高的圍牆，牆頭上還設著有刺鐵絲網。在東南及西北兩角的牆頭上，還有兩個供監視用的碉堡，裡面顯然是裝設得有機槍之類的自動武器。接近正門處，有一排兩層樓房，是供辦公管理使用的。

囚房被安置在一棟L型的三層大樓內，該樓最接近圍牆處也有五丈來寬。囚房是鋼骨水泥的磚造建築，從結構上看，便知道它具有專用色彩。每層都自中央用一堵厚磚牆隔開，再分隔成若干小間，每間若四蓆塌塌米大，沒有窗，衹在厚實的鐵板門上開個孔，一面供通風，一面供警衛人員巡查之用。房內僅有一張木質小床，舖著簡單被褥，沒有電燈，更別說便所了。

李進買了一條長壽香煙，一包鹵味，一瓶汽水，一瓶清酒，叫了一部計程車，從風雨中來到感化所的警衛室，會著了他的那位老同學警衛排長。

「現在還不是去看他的時候。」警衛排長說。

「還要等多久？」李進略顯焦急地問。

「最好九點鐘以後。」

「他最近怎麼樣？」李進指指後面的囚房問道。

「老詞兒沒改，整天坐在床沿的水泥地上，水泥地都被他坐出一個印子來了，就從來沒聽他說過一句話。」

「你們這兒沒那些臭規矩吧？」李進不安地問。

「你別搞錯了，我們這兒不是監獄，來這兒的人也都是有頭有臉的。」警衛排長得意地解釋道。

「哼！」李進輕藐地一聲冷笑。

「你不信，要不要會一會大學教授或副教授？」

「我沒那份興緻。」李進沒好氣地說。

「走吧，是時候了。」警衛排長說罷率先走出警衛室，李進緊跟在他身後，來到L型建築的走廊上，好似跌進一個充氣的瓶罐中，輕飄飄地著不上力，好容易走到盡頭，警衛排長停下來打開一扇鐵門，先用手電筒向裡面照了照，才閃開身子說道：「就在裡面，你自己進去吧，回頭我再來接你。」

李進迫不及待地一步跨了進去，後面的門呯地一聲又被鎖住了，李進的心臟也不禁同時往下一沉。

「組長——，」李進輕聲喚著走向于忠。

于忠正是警衛排長說的那個姿勢，像座銅像般定在那裡。

李進一邊說，一邊將帶來的東西從帆布袋中取了出來，放到于忠身邊地上。先折開長壽煙，給于忠燃上一支，衹見他像餓死鬼般狂猛地吸起來。

「組長，你好吧？」

「……」

「組長，這幾個月我在搞退役的事，後天就離營。」

「……」

李進端起地上的滷味，送到于忠面前，低聲勸道：「組長，你用一點吧。」

于忠變成了一具吸煙機，祇顧吸著長壽煙。

李進又拿起汽水，說道：「組長，這是汽水。」

「……」

李進跪在于忠面前，沉默著不再說什麼，祇靜靜地看著這個曾經救過自己性命的，曾經是個壯實而現在是個羸弱的漢子，李進的視線開始模糊，但他還是忍住了。他想，他必須學會他面前這個羸弱的人一樣，有面對現實的勇氣與志氣。

門外的鎖匙響了起來，鐵門被打開了，一陣過堂風趁勢猛撲了進來，突然失去了面前的人影，祇看到警衛排長的手電筒訊號。李進在拾起地上的雜物，向閃爍著猩紅火光的方向告別道：「組長，我走了，再見。」

李進再回頭觀望時，祇能從門外的那個小洞孔中向內窺探，黑暗中有一個亮點，一明一滅地閃著猩紅的光，待要與這漆黑的漫漫長夜競走一般，看誰能搶先熬到天明。

第三號病室

一九五九年秋

病房的緊急呼叫鈴聲，吱吱地驟響——！

三個身著黑色制服的看護兵，自護理室衝了出來，不由分說地衝進第三號病室。

第三病室照例是收容特別病人的，四週的牆壁及天花板，都是用茶褐色的甘蔗板鑲嵌的。除了塌塌米上舖著的被褥，室內再沒有放置任何用具。病人是一個黝黑的高大青年，約莫二十六七歲年紀，說話帶點北方土音。他正一手搭住護理長賴淑美小姐的右臂，一手扯住她的工作服，屈膝跪在塌塌米上，口中哀求地喃喃嚷著「春紅」，另一個女人的名字三個黑衣彪形大漢，熟練而技巧地將病人架住，直往電療室奔去，護理長賴淑美恨恨地跟在後面，臉上盡是青一塊白一塊的不悅顏色，是那種慣於老羞成怒的顏色。

病人在被架住的時候，吵鬧的非常厲害，三個孔武有力的彪形大漢，也幾乎制壓不住，待一扭進電療室，他便變得像回到姥姥家般地乖順了。自己爬上手術檯躺下，任由得看護兵們給他扣上手腕及腳踝的皮帶。這時候即令他有千斤的氣力，都使不上了。

護理長賴淑美仍舊頂著那張不悅的臉，見一切都已準備停當，便將兩個電掣擱到病人頭部兩側的太陽穴上，狠命地按住，右腳一踩電鈕，病人像是被彈簧掀起的一根鬆緊帶，手足劇烈而不規則地抽搐起來，口中的白沫無力地向外簇擁。站在儀器旁的一個黑衣看護兵，見療程的時間已到，便示意護理長賴淑美可以停止了。但賴猶恨恨地不肯放手，直到病人的抖動有彈出手術檯的勢子了，她才心有不甘地將電門關上。病人也像鬆了勁的彈簧，死挺著一動也不動了。

夜色已經很濃了，病人都被趕進了自己的窩。一個白色人影悄悄地走到三號病房病人的跟前，他此刻正面對著牆壁，細心地摩娑著自己用手指刻下的一首李後主詞，那是他進到這間病房後，唯一可做而且已經完成了的工作。爲此，他的一個手指甲，因在甘蔗板上挖得太久而流了許多血，被護理人員發現，送去外科動手術，把剩餘的指甲割掉，以保全那根手指。

「三號。」白色人影用低沉的聲音喚著。

病人徒然轉過身來，惶恐地不知所措。他搓搓手，又拍拍衣服，囁嚅地叫了一聲「大夫。」

「坐下來，我們談談。」醫生溫言地說罷，便盤膝坐到塌塌米上。

「大夫，我有病，你別想把我攆出去。」病人退縮著，畏怯地，被牆壁頂住了。他攤開兩手，用掌和背脊緊緊地貼住，瞪大著一雙哀懇求助的眼睛。

「我是醫生，有權了解你的真實情況，如果你不肯合作，我祇有把你送回原單位去。」醫生威脅地說。

病人驚恐地搖著頭，叫道：「不，大夫，你不能把我送回去！」

「回原單位有什麼不好？至少，不會吃這樣的苦頭。」醫生指著病人的頭部慰解地說。

「不！」病人將頭臉埋入掌心內，痛苦地搖著頭，哽咽著道：「大夫，我求求你，叫我做什麼都行，就是別攆我回去。」

「那是你答應跟我合作了。」醫生緊迫地追問道。

病人默然地點點頭，抽噎地問道：「你要我說什麼？」

「關於你得病的原因？」

「他們不是都說過了嗎？」

「我要你自己說的。」

「我——。」

「說吧，除非情形特殊，我們都可以商量。」

「大夫，你不是哄我的吧？」

「我爲什麼要哄你？」

「哼！」病人衹是冷笑著兩隻眼睛充滿了不信任。

「談你得病的經過吧。」醫生威凌的眼光直逼病人。

病人順著甘蔗板滑跌在塌塌米上，還用背脊死命地頂住牆壁，復又把頭埋入掌心裡，痛苦地呻吟起來。

二

「中秋節的第二天上午，我在福利社算帳，突然聽說老覃的全家中毒暴斃的消息。我來不及收拾，便搶上連部的車，向老覃住的眷村開去，那是我第一次去他家，下車後，我第一個衝了進去。可憐一家六口，都口鼻流血，倒斃在地上。他的兩個孩子，大的才不過三歲，小的一個還不滿週歲，好似兩個人球滾在地上，縮做一團，最小的一個還死死的扯著她媽媽的一片衣襟。覃家的兩位老人，也才不過六十出頭，看起來比七十歲的人還衰老。老太太拳著兩條腿，兩手攀住竹床的一根柱子，十個指甲都被掐出了血痕，面朝裡臥著死在床上。覃大爺原來就有肝病，瘦得衹剩了皮包骨頭，再被毒藥一陣折騰，就活像個老小孩，早已不是高大的覃大爺了。老覃自己仰面朝天躺在地上，兩手緊緊地握拳，指甲也都深陷入肌肉內，破處還在冒著血珠。眼睛裡充滿了血漬，嘴唇緊閉，兩腮脹得鼓鼓地，臉頰上也染著黑血，頸項間地上掉著一根斷裂的肉骨頭，從斷面留下的齒痕來看，分明是被老覃的牙齒咬斷的。經醫生的檢驗証實，這一家人是因服了『巴拉松』農藥致的命。老覃的兩手掌心上，分別各寫著三個字，除此之外，沒有留下其他的話。」

「難道是他自己下的毒藥嗎？還是……？」醫生驚疑不敢置信地問道。

「是的，可以肯定是他自己幹的，因爲他掌心上的字寫得明明白白『養不活，毋寧死。』他的女人躺在他的對面，看姿勢是仆跌在地上死去的。我回過身來恰好看到她右臂上凹進去的疤痕，那是我最熟悉不過的一塊疤痕，我隨即把她的臉翻過來，大夫！是她！」

病人的身子突然前傾，趨到醫生面前，兩手緊抓住醫生的胳膊叫道：『真是她，我不敢相信，像她那樣善良溫順的女人，也會咬牙切齒的恨，打從牙齒眉毛到鼻端，是一臉的恨。

是恨我嗎？還是恨這個世界？我當時的感覺不是怕，也是恨，恨不得把這個世界上的人殺光。以後，我也曾想過很多方法，希望我能殺幾個我極想殺死的人。」

「你這種想法很危險，這或許是我們部隊中暴行的根源。」醫生分析地說。

「你以爲我會跟那群人一樣，拿連長排長的命來作出氣筒，我才不幹那種傻事哩！要幹就幹那種驚天動地的大事業，但我失敗了。我知道我做不到，就開始恨我自己，恨到極處時，我希望別人把我殺死。我不怕你笑我的想法奇怪或幼稚，我除此外沒有路走。」病人說罷無助地看著醫生。

「路是人走出來的，你不應該這樣自暴自棄。」醫生勸慰地說。

「我不同，我沒有路走。」病人強調著說。

「你好像有革命家的氣慨，革命家之所以要革命，大概也是因爲看不慣。所不同的是，他們懂得爲自己創造力量，運用力量。」

「那麼，你看我該怎麼辦？」病人求助地問道。

「你麼？現在最好把你的故事，給我從頭開始。」醫生扶住搖搖欲墜的病人上身，輕輕地靠到牆壁，溫和地微笑著說。

病人挪動一下萎頓的身子，平伸出兩條腿，將肩部斜倚到牆壁上，接過醫生遞來的香煙，放到嘴邊燃上，呼呼地吸了兩口，頹喪地漫應道：

「你不嫌它骯髒嗎？」

「凡事衹要是出乎至情至性，就都是聖潔而珍貴的。」醫生侃侃地鼓勵着。

病人打了個阻止的手勢，搶着說道：「我們之間，那有什麼愛情。要有，也衹有買賣，如果硬要湊上一個情字，也衹能說是同情和憐憫。彼此沒有許諾過什麼，別把它想得太羅曼蒂克了。」

三

「我和老覃被選出來搞福利社，他知道我好動，要我負責採購，有空也兼管照顧銷售，因爲外出的機會多，便有時間去逛私門子。」

「對不起，我要打個岔，什麼叫『私門子』？」醫生不解地問道。

病人臉上綻出一絲笑容，略顯自得的解釋道：「私門子就是私窯子，在那地方的私窯子，多半都是台灣鄉下姑娘。她們一邊嚼檳榔，一邊透過薄薄的木板牆，與隔壁的同行談著生意經。這些人完全把女人那部份的器官，看作是交易的工具，任你如何翻雲覆雨，她都無動於衷。有一天，這家私門子來了一個三十左右的大陸女人，據鴇兒說她床上的工夫夫很棒，勁頭大，別說在那小地方，就是在台北市，大陸女人都是搶手貨。那天趕巧讓我拔了頭籌，的確很過癮，一連兩『泡』把我混身的勁，抖了個乾淨，簡直連腳後跟都覺到了舒服。因此，以後我就固定祇搞她一個人，直到混熟了，才知道她丈夫也是個軍人，因偷襲大陸失蹤，也不知道是死了，還是被浮了。她有三個孩子要養活，便很自然地走上了這條路。」

「政府不是有撫恤嗎？」醫生不解地問道。

「撫恤祇在逢年過節才有，而且是按階級發的。」

「啊……。」醫生的臉頰上閃過一絲難以置信的顏色。

「請你相信我，她不是那種自甘墮落的女人。」病人肯定自信地爲她辯解著。

「那麼，她應該是你口中的春紅了？」醫生略帶調侃地微笑著問。

「不，她叫阿珠。」

「啊！原來那還是另一個故事。」

病人的眼睛眨了眨，黑暗中看不到他臉上神情的變化。他又燃上一支煙，深深地吸了幾口，具深意地把煙霧噴向空中，好似要借它來掩蓋住他內心的激動。又好似要借它來索回被他埋藏了的記憶。他熄掉煙，深深地吸了口氣，才慢吞吞地說道：「春紅是阿珠領進門的新馬子。」

醫生縐了縐眉，一臉的困惑不解樣子。

「阿珠那時候已經很紅，生意好到應接不暇，她把春紅介紹給我的那天，她躲在最黑暗的三號房間裡。我第一次做她客人的時候，發覺她的身體冷的像冰棒似的，還在不住的發抖。嫖客總是殘忍的，花錢就是爲了尋快活，管你愛不愛，這是交易，交易便要取回代價。就在這緊要關頭，突然眼前一亮，碰到她無聲的淚眼，正在默默地流著。我逃避地將眼光移到她的上身，看到她胳膊上那道疤痕，像股兒糖似地顫動得很厲害。她媽的這好比兜頭給我澆上一盆冷水，一下都洩光了，真他媽倒霉，花二十塊錢，就這麼送了報。」

「送報是什麼意思？」醫生的問題又來了。

「哎呀！你連這個都不懂，丟了就走嗎。」病人不耐地解釋着。

醫生搖了搖頭，還是一臉的茫然。

「你要我說，就別打訕。」病人警告著說。

醫生點點頭，不敢再搭渣了。

「她每星期祇來一次，我第二次去的時候，她那天沒來，我便改買了阿珠。又從阿珠那裡知道了一些關於春紅的事，原來她是因為家裡有人生病，要吃藥，還要吃營養的東西，一個小孩要吃奶粉，丈夫的薪水不夠，祇好自己出來兼營副業，以資貼補。打那個時候起，我便決定，以後專照顧春紅的生意，不再買別的女人。」

「原來你還是個多情種子。」醫生取笑地說。

「你錯了，誰叫我們都是從大陸來的哩！」病人帶點羞赧地解釋著。

四

「我再看到她的那天，她正在接客。病人又取過一支煙，並不燃上。接著說道：買她的是個當地小混混，完事後，那小混混叫她洗他的下身，這本是窯子的規矩，但她就是不肯幹這個，老板娘事先都說明過的，那小混混頑過了不認帳，括了她一記耳光，提著褲子出來了，我堵住甬道把那小混混狠狠地惡湊一頓。開始時還能還手，打著打著眼見對方已沒了還手的分兒，才讓他抱頭鼠竄地跑了。我塞給老板娘二十塊錢，掀開門簾一頭躦進了春紅的房間。屋裡面仍然是那股子黑，但床上卻有一團白影在蠕蠕地移動。我發現她在穿衣服，便坐下來按住她的手。說道；『不要怕，是我。』『……？』如果你不願意，也不要緊，我不一定要，主要是想看看你。」『你給了錢？』我點點頭，她扔開衣服，又躺回塌塌米上，將頭側到一邊去。『別急，我不想這樣子跟你玩。』『……？』『聽說你們家裡有人生病？』她轉過臉來瞅了我一眼，又將頭側了過去。『什麼病？』『……？』『爲什麼不進醫院？』『哼！』總算有了回聲，她打腮邊擠出一絲冷笑，就再也沒管過我的存在。」

「我一邊跟她說話，一邊輕輕地撫摸著。衹覺得她的皮膚光滑柔膩，好像摩沙在白皙的細瓷上，不敢用力，生怕碰傷了她。當我脫下軍便服，旁坐到塌塌米上去的時候，便聽到老板娘來敲門，大概是見我們許久沒有動靜，以爲她在走私吧。我打開門又塞給她五塊錢，並說明好事才要開始。她左手接過錢，又在我臉上捏了一下，右手同時老實不客氣，伸進我的褲襠內一抄，重重地模了一把，才笑罵著走了。我關上門，又坐回到塌塌米上來，見她仍然側著頭，不願看我，搞不清她在想什麼？生氣還是傷心？便搭訕着道：『那小子被我狠狠地揍了一頓，給你出了一口氣。』『哼！他沒出息，才欺侮我。你又去欺侮他，……？』那話的意思，不就是指我也沒出息嗎？」

「聽到她的話，我不禁氣往上衝，心想，好心幫你，反落個不是，這是什麼話。但事後想一想，她的話也不無道理，去那種地方尋歡作樂，還能有什麼出息。可當時就是憋不住，衝口而出道：『你那口子一定是個有出息的人？』」

「她徒地回過頭來，冷冷地看我一眼。我不禁打了個冷顫，衹覺得她的眼光刺人，複雜得令人難以想象。有哀、有怨、更多的是恨。恨什麼？我那時候體會不出，現在我體會得很深，眼前這個本性溫順的女人，被現實折磨得支離破碎，她的眼光變得愈來愈犀利，好像要看穿我似的。不，現在回想起來，我在她眼中根本算不了什麼，她的眼光是要穿透那黑暗的房間，去窺探那個給予她現實的更深更遠的世界。我那時候想不到這麼多，祇想到我無意中的一句話，倒引起她的注意，再從阿珠的叮囑「不可打聽她的家世」來看，莫非她的丈夫有什麼隱私。你可以說我是為了好奇，但我自己事後推想，我是人類喜愛臧否別人的原始墮落野性的驅使，才故意繞著彎兒去打聽她的家務事的。『他一定對你不好？』她眼睛裡滿是悲憤與哀怨的神色，我得意了，以為戳中了她的痛處。『每一個到這裡來的女人，身上都揹著一個悲慘的故事，你當然也不會例外？』『對不起，我祇是因為家用不夠，才出來做這種事，沒你想的那麼可憐。』」

「語氣像開花的炮彈破片，嶙峋刺人。我本來沒有要傷害她的意思，但聽了她的話，卻禁不住腦羞成怒起來，便也冷冷地道：『你神氣什麼！再好也不過才值二十塊錢。』我說罷以為她要生氣的，她沒有，反倒嚶嚶地飲泣起來。這使我很後悔，便想向她解釋，但一時間不知道該怎麼說才好。她突然坐起身，穿上褻衣問道：『你給老闆娘多少錢？』這時候她的臉幾乎碰到了我的臉，一種女人特有的氣味直衝我的腦門，我祇覺得自己的身子在發脹，便急道：『幹什麼？』『我可以還給你錢。』『你不給我玩了？』她點點頭，我發狠地命令道：『不行。』她低下頭去，烏油油的長髮遮擋住她的整個臉孔。我一手捏住她的衣領，一手去掏她的下身，她沒有反抗，祇是呼吸愈來愈迫促，終於慢慢地抬起頭來，露出她那滿佈淚痕哀傷欲絕的臉，抽噎地哀求道：『請你看在他也是軍人的份上，饒了我。』聽到她丈夫也是個軍人，我像碰到蛇蝎般縮回了手。」

五

「我每次去軍樂園或私門子嫖過以後，都會把經過告訴老覃。他是結了婚的人，自歎沒有機會享受這種風流了。」病人繼續講著他的故事。

醫生也湊趣地添上一句道：「我也沒這個機會了。」

「算你走運，否則，你比我還要瘋狂。」

「我看你蠻清醒的嘛！」醫生試探地打趣道。

「你敢說我沒有瘋？」病人眼中徒地射出兇光。

「請你把聲音放低一點，我不過是就事論事罷了。」

病人低下頭去，醫生又遞給他一支克難香煙。

「剛才我們說到那裡了？」病人輕聲地問道。

「談到老覃。」醫生提示地回答。

「啊！老覃，他是我們連上公認的好人，他沒有受過正規的軍事訓練，他一進部隊就被補了個上士缺，因爲那時候的連長跟他是親戚。但他好就好在從不仗著親戚，在連上耀武揚威。他們家在江西老家薄有田地，他自己暇時還做木匠，一家人生活過得很好。國軍撤退時，他那個連長親戚部隊打他家經過，說了許多共匪清算鬥爭的事，還勸他們拋家出走，就這樣全家人跟著國軍撤退來到台灣。一家五六口，生活的艱難是可以想像得到的，他那個親戚雖然升了營長，也是自顧不暇，那有餘力照顧他們。每個月都是寅支卯糧，可是他有一宗好處，他和我被選做連上的福利幹事，他不管家裡蹩得多緊，他絕不動用福利社的公款，寧願爲了借五十塊錢，去看行政官的臉色，也不私底下方便。我常常勸他，別死心眼，大官們拿公家的錢修房子，搞小老婆，他活動個十塊二十塊，有什麼要緊。他反說我這樣做是營私舞弊。平日裡一天難得聽他說上三句話，偶爾嘆聲氣，也是短突突地沒點勁兒。他最常做的工作是打蒼蠅，而且打的很澈底，一個不留。連上也曾發動過，要爲他募捐，被他拒絕了。後來又提議從福利金裡面提出若干來，貼補他的困境。先是他自己反對，說什麼救濟祇能救急，不能救窮。後來是指導員也不甚同意，認爲公款應該公用，但他的政工事業費，從來也沒有拿出來公開過。大夥兒雖是同情他，但都不是身在其中的人，也就不覺得生活艱難的重壓，每次談談也就罷了。我因工作的緣故，每天跟他在一起，便很自然地感受到他內心中，被生活煎熬的苦楚。一種祇有忍受，沒有一絲兒掙扎的餘力，使他健碩的體格，愈來愈見消瘦。他初來時眉宇間的那股憨勁兒，已被一層無可奈何的絕望所取代。我也曾想過要給他一些助力，比如奉獻出自己全部微薄的薪水，但老覃的性格，豈肯白受我的俸給，何況杯水車薪，無補於事。我也曾在生活檢討會上，提議請求准予他退役，以他的手藝，不難換得一家溫飽的。但是上面答覆，說是礙於法令，不能那樣做。於是老覃的陷入困境，便不是用人力或天命可以解釋的了。」

「有家眷的不止他一家，大家不也都活過來了嗎？」醫生不置可否地反問道。

「是呀！那些私娼館的女人，不也都活過來了嗎！」病人慍怒地諷刺道。

「難道她們自己就一點都沒有責任嗎？比方說自甘墮落啦！」醫生懷疑地說。

「自甘墮落的成份，不能說一點都沒有，但這問題得看她是怎麼開始的，比如說阿珠……。」

醫生搶著打趣道：「還有你的春紅！」

「不管你怎麼嘲笑，她們絕不是你所想像的那種人。我相信，她們都是被那隻看不見的摩掌，推下海的。」病人平靜地說。

「我並沒有指責她們的意思，我祇是覺得，任何一種現象的產生，社會與個人都要負責。」醫生辯解地說。

「那是你們有錢人的看法，那個吃魚吃肉的人，會知道挨餓的味道？祇有掉進貧窮的人，才會知道錢的真正價值與意義。」病人說罷燃上手中的克難香煙，狂猛地吸著，像對待仇敵那樣地，恨不得一口就把它燒個灰飛煙滅。

六

醫生有他職業的理由，不願僵持在沉默中，等待對方自由意志的發展，乃又挑出問題的重心來問道：「春紅是什麼人呢？這名字很羅曼蒂克的。」

聽到春紅，病人的情緒就像是洩了氣的皮球，一下子萎頓了下來，輕喟道：「其實她並不叫春紅。」

「她叫什麼呢？」醫生好奇地問道。

「現在，你可以稱她覃太太，或覃大嫂什麼的吧。」

「那麼春紅這名字？」

「是我以後給她取的，你沒看到牆上我刻的這首詞？」

「我早看到過了，它的第一句不是『林花謝了春紅嗎？』啊！春紅。原來是這樣。」

「這是我讀中學時，最愛讀的一首詞，那時候不甚了解，如今都已心領神會了。」病人侃侃地表白着。

「我也早猜到其中一定有你的故事」，醫生也不隱諱地說，繼續問道：「以後呢？」

「中秋節那天，我如約去私窯子找她，她失約了。我有點悵然若失的感覺，自己也曾一再告誡自己，這是很荒唐無聊的事，但情緒上就是無法平靜下來，有一種被侮辱和被輕視的心理在作祟。平常日子裡，見了其他妓女，即使不想跟她們『打泡』，也禁不住要撩撥撩撥，吃吃豆腐什麼的。但是，這一天，情形完全改變了。女人們坐到大腿上來，拿住我的手去摸她們，不但不想佔這便宜，還嫌她們骯髒似的推了開去，搞得大家都如丈二金剛，摸不著頭腦。幸而不久阿珠接過客走了出來，一見到我，便如獲至寶般，一把拉住。

窯姐們都跟她開頑笑，說她跟我貼上了。阿珠無心分辯這些，把我拉到後面廚房裡，悄悄說道：『她那口子知道了，今天不能來，以後也不能來了，叫你別等她。』『就這麼幾句話？』『你要她說多少？』阿珠曖昧地反問道。我也不明白，當初自己爲什麼會有一種想法，總覺得她應該請阿珠多轉達一些，一些什麼，連自己也弄不明白，反正我感到有點失望。也許是阿珠看出了我的心事，祇聽她用右手戳著我的額頭，笑罵着說道：『喂！你跟她的日子，還沒我的陰毛長，就這麼死心眼的盯上了，沒良心的小雜種。』『你胡扯到那裡去了，我是覺得她可憐。』我訕訕地辯解着。『她可憐，死活還有個依靠，我呢！我能靠誰來着，靠你們這些小雜種，死沒良心的。』說着她眼圈一紅，竟掉下眼淚來了。」

「我一時不知所措，答不上話來，阿珠見我久久沒有聲音，便生氣地說道：『你去吧，去找你的心上人去。』我跨上一步，拉住阿珠的手說道：『阿珠，我跟你們在一起的時候，是把你們當做自己家裡的人一樣，一方面我需要你們，另一方面又覺得對不起你們。』

『沒有什麼，一個買，一個賣，你沒什麼好難過的。』阿珠冷冷地說。我低下頭緊緊地握住她的手說道：『但我總覺得你們是我的嫂嫂或是姐姐，所以，我每次跟你們玩過以後，就有一兩天睡不着覺。』她突然一把抱住我泣道：『誰叫我們逃死逃活的，逃到這個地方來，受這種罪。共產黨鬥的是有錢有地的人，我們沒錢沒地，他們鬥我們幹什麼？現在搞到這種地步，叫天天不應，叫地地不靈，真是死路一條。』說到這兒她再也忍耐不住，哭喊道：『你叫我怎麼辦？』我輕撫著她的背脊，讓她盡情哭訴了一陣，才安慰道：『阿珠，天無絕人之路，我們總會活下去的。』我因爲被阿珠緊貼著自己的身體一陣揉搓，祇感到血脈發脹，按捺不住，便捧起她滿面淚痕的臉，用舌尖舔著吻著，正當我勒緊她要動作的時候，老板娘在門口叫了，阿珠一把推開我的摟抱，笑罵道；『才剛像模像樣地說了幾句人話，現在又不想幹人事了，還不趁早給我滾遠些。』我嬉皮涎臉拉住她道：『要滾也得先搞一下，不然我憋得難過。』她用力一摔，掙脫了我拉住她的手，急道：『你不去找她了？』『我到那兒去找呀？』我漫應道，心裡還在想着跟阿珠打一泡。『她今天上午要去工廠送鞋幫子，你趕快去，也許還碰得到。』說罷，她匆匆走了。我一陣風般捲向那爿塑膠工廠，恰好在半路上截住了她。我幸虧一眼便看到她右臂上凹進去的疤痕，否則，便真箇是相逢不相識的。她見到我也是一楞，這使我確定是她沒錯。被我三把兩扯地拉到路邊的甘蔗田裡坐下，人已經被我找到了，一時間不知道該從何說起，後來還是從阿珠談到她家裡，她才娓娓地將這兩天發生的事情說了出來。」

七

「『前天晚上，他回來的很晚，一進門就把我推上床，叫我脫衣服，他往常都是那個樣子，不管我要不要，就硬往裡頭塞，我去拉他的手，來摸我這裡。』她說著指了指她的前胸，我順勢就摸了上去，她巧妙地躲開了。接著說道：『他突然把我推倒一邊，問我從那裡學了這些邪門歪道。我見他的眼睛裡冒著火星子，直駭得一動也不敢動。他又問我是不是也幹過那件事，我假裝糊塗地問他什麼事？他說是他跟我說過的那件事。我一時不知道該怎麼回答才好，便僵在那裡，他大慨已看出了其中的蹊蹺，眼睛開始脹大，眉毛也豎了起來，喉嚨裡也轟隆轟隆作響，樣子變得好怕人。我那時想，這樣子骯髒活著，倒不如死了的好。與其苟延殘喘，被人糟蹋，不如死在他面前，也算對得起他。便把心一橫，等著他給我一下重的，一了百了。正在這時候孩子哭了，我爬下來去拿奶瓶，他伸手攔住我，而且，眼睛狠狠地瞪着我看。我想反正都不想活了，管他高不高興哩，便不理他，仍舊下來抱起孩子，將奶瓶塞進她嘴裡，孩子漸漸地不哭了，我這時候才有時間回想我自己。

自從十六歲嫁到他們家裡來，生兒育女，侍奉公婆，一點也沒有怠慢過。要不是共匪作亂，我們又何至於跑到這鬼地方來受苦，怪祇怪他爹當過保長，幫著政府殺過許多共產黨，爲了怕人家報復，才迫着他兒子將全家拖出來，他雖然後悔走錯了路，已經來不及了。

如今，指着他兒子一個人養家活口，一個窮當兵的就是會變戲法，也變不來一家六口人的糧食。我何嘗願意去丟人現眼，還不都是爲了一家人要活下去，他不能諒解也是應該的。但是，誰叫我們落在這種絕地裡面哩！我思前想後，覺得這樣子活下去實在沒有意思，糟塌了自己還是幫不了他，還搞得他不能做人。我這樣活下去，即使不怕別人恥笑，將來也對不起自己的兒女。那一會兒，我忽然覺得自己想通了，便抬起頭來，準備跟他做個了斷。

我的天，他的樣子幾乎把我駭死了，可憐，他那樣一副鋼筋鐵骨的身子，這幾年下來，已經熬成了皮包骨頭。我平常日子忙著愁吃愁穿都來不及，那有閒功夫來多瞧他一眼，這會子才看清楚了他。他那裡還是當年大陸時的人樣，要不是在自己的房子裡，又跟他生活了這些年，我一定會把他趕出去，不認他是自己的丈夫了。他的臉頰凹進去兩個深洞，眼睛珠子已凸到了眼框外面，嘴角邊和眼框裡都冒著血絲，兩手緊緊地扳住床頭柱子，身子像打擺子一樣，抖得格格作響。我急忙放下孩子，跑過去搖他推他，都沒法使他恢復過來，我這時候真是急得想一頭碰死在他面前。但是，我曉得如果我不能很快地把他弄醒，他會憋死去的。我也記不清楚我做了些什麼？好像是潑了半茶杯冷茶在他臉上，祇聽他骨碌一聲，噴出一口鮮血，身子一仆，幾乎倒跌到地上。還是他自己用手撐住桌子，一手搭住床沿，又站住了。我走過去扶他，又遞上毛巾給他擦臉，被他扔開了。我見時候到了，便對他說，請他念我們夫妻一場，又給他家留下了骨肉，請他讓我去作自我了斷。他聽了我的話，才開始傷心地哭出來，他張開臂膀，口脣啓動，但卻沒有聲音，我再也克制不住了，便撲了上去，他也緊緊地把我抱住，我祇曉得我哭得很傷心，兩個人就這麼抱著哭著，一直熬到半夜。他忽然拉起我的手，要我跟他出去走走。我們沿著村子的路走了出去，一直走到一個亂葬崗上，才發現我們走錯了方向，那兒埋了好些死人，我平日裡白天都不敢從這個方向經過，但這晚我跟他卻走得很泰然。他提起許多過去的人和事，那些人多半都是死去了的熟人或玩伴。我禁不住打了個冷戰，我倒不是怕死，總覺得孩子們無辜受罪，很是可憐。他認爲我們生他們就是害了他們，生出來不能養，又不能教，就更是罪不容恕。我勸他不要後悔，還是多想些將來吧。他說他已經打好主意了，祇待我同意，我告訴他從以後，我跟他同生同死，永不後悔。』隔了一會，我見她不再有下文，便問道：『這以後呢？』她搖搖頭忽然站起來，拍拍身上的泥土，向來路上走去。」

八

醫生長長地噓了一口氣，像是剛給病人動過大手術，打從開刀房出來那樣地疲憊。他誠意地摯住病人的手道：「我同意你留下，直到你自己願意出去爲止，但也請你答應我，以後別再鬧事了，爲了我們，更是爲你自己。」

心戀

二〇〇六年

自從太太回娘家小住之後，亦菲的心就如脫韁的野馬，不受控制。也許是受到年齡的限制，向前看，自覺來日無多，便沒了幻想。滿腦子裡充斥的，都是回憶。人應該是一個不斷追求創造的動物，人爲什麼會失去創造的潛力的呢？因爲對現狀的滿足，使人的思想停滯向前，沒了創造便衹有回憶了。回憶可以彌補人對過去的失落，尤其是愛情路上有過曲析的人，對那曾經擁有而在疏忽中被溜走的，那一份刻骨銘心的記憶，總懷著忽明忽滅的幻覺。

一九六五年，一個秋高氣爽的日子，亦菲邁步走向註冊處，衹見一列長蛇陣，隔著兩幢大樓，從註冊處延伸過來。人叢中忽見一個梳著馬尾巴頭髮的女孩子，從她的背影看，真有鶴立雞群之感，身材苗條修長，肌膚白晳紅潤，兩手捧著書本，一個人鬧中取靜地讀著。

正是那種做夢的年齡，那背影像一道雷射光穿透人牆，直射進亦菲的心扉，把亦菲的心擾得像一鍋粥一樣，又熱又滾。這是那兒蹦出來的，怎麼從來沒有見過，新生嗎？

不像，沒這麼沉靜安穩，那麼她會是那個深宅大院的呢？外文系？商學系？或是新聞系？這都是出美女的大門第，不對呀，這幾個系的女生都不算陌生，沒這號人物，那她是打那兒蹾出來的呢？

亦菲腦子裡胡思亂想，身子則被人蛇陣推著向前移動，快接近註冊處辦公室門口時，馬尾巴女郎已辦好註冊手續，正從辦公室向外走了出來，亦菲故意從人蛇陣中向外邁出一步，欲待引起對方的注意，沒想到馬尾巴女郎把頭一低與亦菲擦身而過，竟沒把自己放在眼裡，這好比寒天飲冰水，真是涼透了心。

也許是自覺自尊心受到傷害吧，心裡開始萌生報復，一路盤算，就是理不出一個頭緒來。但有一件事是自己最清楚不過的，那便是那個該死的背影，就像是著魔似的，怎麼扔都扔不掉，她竟然連看都不看我一眼，好啊，妳驕傲吧，看誰狠過誰。說是這麼說，那背影啊，一時擴大，一時縮小，就像是電影膠片一樣，片片都是那個富有媚力的馬尾巴鏡頭，那膠片好似拔涉的人遠行，沒有盡頭。

開學的第一天，下午第一節課是微分方程，換了教室，也換了選修的學生，亦菲最後一個進教室，他是從後排座位門溜進去的，習慣性地不敢驚動人，偷偷地坐到最後一排靠左角落的座位上。他放下書本，不經意地向教授站立的講台方向看過去，他突然一驚，祇感到血脈噴張，全身震動，幾天來壓抑的陰霾卻被掃除一空，祇覺得眼睛一亮，人也覺得神清氣爽，精神百倍，那個縈迴夢繞的背影，那撮擾得人心煩意亂的馬尾巴頭髮，那惹人犯罪的肌膚，那望而生畏的氣質，居然會在這裡出現，這比中了愛國獎劵特獎，還要令人興奮。

有一句流傳於理學院的口頭禪，要想在理學院找漂亮妞兒，就如同沙漠中尋找綠洲。馬尾巴女郎不但是沙漠中的綠洲，還是屬於江南型綠洲。她聽課很專心，祇見她埋著頭，不斷地奮筆急書，那份專注，和心無旁務的求知精神，令一心一意祇想找到她背影的亦菲，忽然覺得慚愧和自責起來，收回目光，禁不住自己問自己，這十年寒窗的定力跑到那兒去了，下意識地打開筆記簿，卻一個字都寫不下去，因爲腦子裡面除了那個馬尾巴幌動的背影，一片空白。

下課鈴響的時候，突然腦際靈光一閃，他不想讓她發現自己，便順勢趴到桌上，將頭埋進臂彎裡。再上課時，他換了個座位，在她的正後方，最後一個座位上，爲的是好偷偷地觀察她而不被發現。

幾個星期下來，他看她還是那樣旁若無人地專注，埋首急書。他剛燃起的一腔熱情，被她的冷漠和目中無人，像消防車澆水息火般，澆得濕淋淋地。但是「愛」作爲人的屬性之一，尤其是處於情竇初開的青年男女，祇要火種還在，就不會被熄滅。又是一個星期中與她同教室上課的日子，亦菲鼓起勇氣，不再躲避她，兩人在進教室時，頂頭碰上對方，馬尾巴女郎先是一愣，繼之一驚。她坐下之後，不經意地回盼一瞥，掃過亦菲時，又似有意似無意地亮那麼一眼，亦菲感到自己身上忽然一熱，有根神經立即亢奮了起來。隨又自我解嘲地想，別自作多情，小心樂極生悲。無論給自己澆多少冷水，就是靜不下心來，自己罵自己，真沒出息，那馬尾巴有什麼好看，怎麼自己就是捨不得不看呢！看看人家，那種不屑一顧的態度，那份冷漠，比驕傲自大更令人可惡可恨。這時候的亦菲，比註冊那天遭受的冷落更爲生氣，賭氣把目光自右邊馬尾巴的方向，向左邊移動，他突然發現，全教室男生的眼光都集中在那個馬尾巴上，連授課的老師都好像祇有她一個學生似的，既然是眾望所歸他也就釋然了。

經過幾天的煎熬與苦思冥索，終於讓他想出一個絕妙好招。等到與馬尾巴女郎同教室上課的日子，亦菲滿懷信心地大踏步走進教室，剛上課時他坐在慣常的座位上，這個座位與馬尾巴女郎的座位，成九十度斜角相對。馬尾巴女郎回盼時，她的頭祇需要向左迴轉十五度，輕而鬆之地便照準亦菲的全身。第一節課亦菲老老實實地擺出一幅專心聽講姿態，對馬尾巴女郎回盼的目光，視而不見，其實，他一直在用眼睛餘光，偷窺對方的反應。開始的幾次回顧，還能保持一慣的平靜與高傲，當一次又一次地得不到亦菲的目光回應時，她終於忍不住顯現出失望或是賭氣的情緒，雖然祇在眼角眉梢微露嗔意，卻讓亦菲適時適景地捕個正著，這給了亦菲無比的勇氣和鼓勵，再次看到她鼓起的兩腮時，亦菲的心裡，突然昇起一股勝利的感覺，但很快就被下課鈴聲給打散了。

第二節上課鈴聲剛剛響起，亦菲立即回到自己的座位上，兩隻大眼睛睁得像銅鈴般，對著靠講台的教室門，馬尾巴女郎從門外進來時，假裝沒看到亦菲，因爲是裝假，表情便顯得不大自然，甚至有點生硬，這更容易讓人猜出她的心事，逗得亦菲癢癢地想入非非，也更加增強了自己的自信心，便沖著她微微一笑，亦菲突然想到不能放肆，弄不好鴿子還沒到手，便給嚇跑了。因是匆忙間臨時改變主意，來不及調整腦部的指揮系統，隨興將笑靨壓了一壓，就因爲他這一念之差，顯現出來的竟是一幅似笑非笑的表情，馬尾巴女郎原本是裝假，這一下可就認了真，氣得整整一節課不再回首顧盼。

正應了那句俗話兒，樂極生悲，亦菲一邊走一邊自怨自艾，爲什麼得意就忘形，這麼沒出息，好不容易得來的機會，硬讓自己搞砸了，真他媽混賬，氣到極處，自己給自己抽了一耳光。愛情這東西就是這樣，你不想它一點事兒都沒有，尤其是遇到波折，愈想愈煩燥，也愈不冷靜，便會產生悲觀，甚至絕望等莫須有的情緒，這便是素常所稱的「作繭自縛」。苦惱是一種持續性的憂郁，既沒有實質性的悲哀，也沒有實質性的恐懼，完全是出於自我陷溺，沒日沒夜的去琢磨對方，高興起來，歡天喜地，悲苦起來，呼天喊地，這便是「愛」吧？

隔了一個星期，馬尾巴又開始左右地來回幌盪，一雙黑得發亮的大眼睛，又透出了那迷人的光彩，當她回盼的目光來回掃蕩時，不期然與亦菲的目光碰個正著，第一次她的臉上綻現出羞赧之色，迅速地轉過身去，低下頭假裝抄寫筆記。亦菲亦趁機換了個座位，移到與馬尾巴女郎成四十五度角的座位上。不到五分鐘，馬尾巴又開始轉向左後方，原本是十五度角的方向，不料竟然會人去座空，她祇得再次旋轉三十五度，觸到亦菲的目光，又再次迅速地回轉身軀，這一次臉上顯現的不是羞赧，而是不愉之色，似乎在嗔怪亦菲，不該用詐術作弄她。亦菲竟管得意，看到她嗔怒的目光，心裡七上八下地開始後悔，同時，本能地回到原來的座位上，待她再次回首顧盼時，迅速豎起右掌學佛家問訊打招呼的姿勢，向她鞠躬賠禮。她看得似乎很有趣，竟開心地燦然笑了。這一笑，足足使亦菲失眠一個星期。他想到和她散步時，偷著聞她身上那醉人的體膚之香，或在電影院裡面偷摸她那白皙纖嫩的手，陪她去碧潭划船，陽明山郊遊，他把可能接近她和約會她的方法，想了個夠，就是找不出一個萬無一失的可靠方法，最後他祇有放棄，待從頭收拾。

這再次的四目相對，讓亦菲証實了一件事，那便是馬尾巴女郎回盼的目光，所關注的對像確實是自己。他心喜欲狂，己按奈不住內心的興奮，下課鈴聲一響，他第一個衝出教室，跑到田徑場上狂奔，直到筋疲力竭才停下來。一想到那背影那眼神，他清楚地感覺得出自己心悸的顫動，好像自己得到了世界上最神祕最珍貴的禮物，一時間不知道該怎麼辦才好。

愛情這東西是伴隨著煩惱而生的，戀愛的人，打感受到愛的那一刻開始，煩惱便亦步亦趨地緊隨而至。亦菲一再地詰問自己，那眼神，那顧盼，到底是愛的徵侯呢？或僅僅是即興似的欣賞。如果是前者，我該怎麼辦，約會嗎？還是繼續維持兩者間的「目視」語言對話呢？煩惱是因爲患得患失，缺乏自信心。維持目視對話的好處是可以盡情地自我淘醉，可以異想天開地編織愛的美夢，神遊於愛的太虛幻境。缺憾是有數不盡的孤獨，寂寞與空虛。

沒等到亦菲想出萬全之策，已經是寒假了，往年遇到假期，要多忙碌便有多忙碌，今年不同，做什麼都提不起興趣。同學們邀他看電影，他拒絕，邀他打球，他謊稱扭了腰，總之，他對他素常最愛好的活動，都覺得索然寡味。他把自己關在房子裡，桌上永遠攤著書和作業，裝出一幅用功的樣子，以掩護自己的失魂落魄，以防家裡人對他起疑心，這樣他才能安然獨處，做他的白日夢。

她在做什麼呢？看電影，約會，還是有更好的消遣方法。想到約會，她會不會跟別的男人約會呢？她有沒有跟男人約會過呢？想到這些問題，亦菲突然坐立不安起來，心緒煩燥。他無目的地衝出門，跑到附近的淡水河邊，轉了一陣，沒來由地轉到西門町，一家挨一家電影院去打尋人廣告，自己卻躲到可以觀察到的地方察看，一直折騰到最後一場電影散場，才往回家的路上走，到家已深夜一點。

日子像鐵杵磨針般地磨了過去，好不容易磨到開學，又磨到微分方程上課的這一天。亦菲給自己作了精心的設計，穿上父親新從美國給他買的紅底格子襯衫，新的深藍牛仔褲，因爲上下顏色反差強烈，特別能夠展現人的精氣神。亦菲滿懷信心地走進教室，不出所料，招來各種不同的目光，欣賞的，羨慕的，嫉妒的，不屑的。亦菲表面上顯得平靜無波，內心中卻如煮沸的開水，翻翻滾滾，有得意，更多的是耽心。馬尾巴會怎麼想，該不會把自己當做「太保」看待吧，一時後悔不該這麼燒包，自怨自艾地低著頭，不敢向前覷望。

上課已經二十分鐘，不見伊人蹤影，結婚、生病或者是——。人說熱鍋上的螞蟻，此時此刻的高亦菲，胸口間真像是爬著千百隻螞蟻，又痛，又急。好不容易挨到下課鐘聲一響，亦菲等不及老師宣佈下課，便從後門蹓了出去，直向註冊處飛奔。「你找她幹什麼？」負責註冊的人斜著眼睛問亦菲。「我們是同學，」「那爲什麼不去問她自己？」亦菲一時語塞，倉促中不及細想，脫口而出，「我不知道她家的電話，」話一出口，亦菲立即覺出自己說錯了話，他很快定下心神。「那你還是她的同學？」「事情是這樣的，放寒假前她借給我兩本書，說好今天要還給她——。」負責註冊的人孤疑著搖搖頭，還是把馬尾巴家的電話給了亦菲。

「她出國了。」

第二十五孝

一

一九六九年

廚房裡堆滿了菜蔬，一個約莫十三四歲的女孩子，正忙著做清洗和切割的工作。另一個較小些的女孩子，蹲在廚房外的水井邊洗滌衣服，她勾著背，垂著頭，蹲在一隻大木盆邊，暮色中，好似一隻小黑球，蠕蠕地滾動。洗好之後，又一件件晾到竹桿上。兩個男孩子，大的約莫十歲，小的一個約莫七八歲，合力抗著一根長竹桿，這樣整整晾了三大竹桿，怕不下二三十件衣服吧。她清理好水井邊的用具，微伸一伸懶腰，一連打了三個哈欠，便又踅進廚房裡來，兩個男孩子便趁機溜了開去。她提起一隻十多磅重的大賓鐵水壺，滿滿地灌上一壺水，雙手吃力地送到火爐上，又搬過一張高腳四方木櫈，爬到高高地釘在牆壁上的碗櫥裡去取茶杯。

客廳裡擺著三桌麻將，安太太與三位穿著入時的太太鏖戰方酣，她的手風不大順，桌上的籌碼，九個紅色大牛祇剩下三個。她手上的牌正聽一四七清一色條子。不料輪到她摸牌時，她卻摸到一張五萬，她沉著地按住手上的牌，兩隻眼珠子向牌桌上瞄來掃去。一眼瞥見對家河裡的牌一張萬字也沒有，心想準是那話兒沒錯，躊躇有頃，還是將按著的一張五萬送到對家面前，臉色陰晴不定地說道：「和吧！」對家對安太太送上的五萬祇淡淡地瞄上一眼，沒有興奮得立即攤牌，旁坐的兩家也緊張地圓睜著兩雙大眼，等待安太太對家的動靜。安太太見對方久久還不攤牌，心中正擬放下懸到胸口的那塊石頭，對家已趁上家摸牌時，將牌倒下，正是清一色萬字，外帶卡五獨聽一條龍的雙辣子。安太太是大輸家，又出個大銃，怎不叫她心裡面擱個老大的不痛快。恰好鄰桌的一位太太嚷著口渴要喝水，安太太藉故起身道：「對不起，失陪一會兒，我去叫孩子們給大家泡杯茶喝。」說罷淺笑盈盈地走出客廳，朝著廚房而去，客人們祇看到她的背影，看不到她臉上已在變顏變色。

當安太太來到廚房時，那個較小的女孩子正兩手提著一大壺開水，朝擱在地上茶盤裡的玻璃杯，傾注著滾燙的開水。她耳中聽到安太太的腳步聲，眼睛的餘光也看到了安太太的大腳繡花拖鞋，她的身子不由得打了個冷痙，壺口已躍倒了杯口外，滾燙的開水撒到地上，冒起一層白霧。安太太咬緊牙關，打從鼻孔裡冷哼一聲，悶著聲音罵道：

「你這婊子養的小娼婦，整天就會好吃懶做，都打了四圈牌，連茶都還沒泡好，你又死到那裡去挺尸了？」一邊罵，一邊死勁擰著小女孩背上的肌肉，小女孩忍著疼痛，仍舊將滾燙的開水朝玻璃杯裡灌去。但眼淚卻禁不住直往下流，這不是她的本意，而是人類處於折磨中的自然反應。她把頭壓得更低，讓淚水和開水一同灌進茶杯裡，開水的熱氣不斷往上騰昇，她的眼睛被繼續不斷湧出來的淚水淹沒，遮斷了視線。她不得不騰出一隻手來擦拭眼淚，她是假借整理額前垂落的頭髮，偷偷地將淚水拭掉。但另一隻提著水壺的手，祇覺一沉，水壺墜落地上，幸好壺底朝下，坐了個四平八穩，壺口壓在一隻玻璃杯上，碎了一個缺口。安太太見狀，更是氣往上衝，順手就是一掌，摑在小女孩的後腦勺上，打得她全身向前一栽，幾乎就是一個狗吃屎，趴跌在茶盤的玻璃杯上。也許求生是一種本能吧，小女孩兩手一撐，硬生地將上身頂住，免了一場皮肉受燙的苦。安太太意猶未竟，抬起右腳，正要踢向小女孩的腰部，幸客廳的牌客一疊連聲地催促安太太去應局，安太太不能得罪客人，祇得悻悻地作罷。臨走時，她沒忘記把小女孩背上，被她扭縐了的衣服抹平。

小女孩收拾好一切，擦乾臉上的淚痕，戰戰兢兢地將茶盤端了出去。

小女孩今年剛滿十一歲，她的臉色蒼白，肌膚皙 白細潤，圓圓的臉蛋，像個小白瓷娃娃，兩片薄薄的櫻脣，緊閉時都有著千言萬語般。上嘴脣微微地向上翹起，是那種寧折不彎的典型。唯獨那一雙黑而亮的眼睛，最是吸引人的注意，也最是令人捉摸不定。她先把茶盤放到客廳地板上，然後用兩手的食拇二指，挾住玻璃杯杯口的邊緣，小心翼翼地送到牌桌旁的茶几上，當她挾到第三杯時，那一杯沖得太滿，熱度已傳到了杯口，手指禁受不住熱氣的滾燙，一陣幌動，便滿及杯口邊的茶水，潑到她的手指頭上，將一杯快要送上茶几的熱茶，卜跌掉向客廳的地板，並濺得茶水四飛，有幾點小飛沫濺上一位史姓太太高叉旗袍下的大腿，史太太當場就跳了起來，用揚州話嚷道：「噯喲喂！我的乖乖隆底咚，把我燙死了呢！」說著還作痛苦狀地撩起高叉旗袍下擺，把粉腿上被燙的地方指給眾人看。

安太太的臉色變了好幾變，怪就怪在她那打肉堆裡擠出來的笑容，由苦笑變成怒笑，又由怒笑變成乾笑，其笑容始終沒有消失。她攬住小女孩的腰，像怕驚著她似地輕輕說道：「靜靜，你看看，做事多不小心，闖了禍了吧，還不快去給史媽媽賠不是。」說著，輕輕將小女孩推到史太太跟前，但說話時，攬著小女孩的手，已重重地在她身上擰了許久。

小女孩像個囚犯般，呆呆地站到史太太面前，等待發落。

史太太鄙夷地斜睨一眼，為了顧全自己的身份，略帶不耐煩地說道：「好了，不用賠不是了，下次做事小心些，這次算史媽媽倒霉。」

其他的客人聽到史太太的話，都不約而同地笑了起來。

史太太是安太太今天的主客，她先生是一位在職軍人，在這個地區的後勤補給單位工作，差事好，後台又硬。因此，夫妻倆在這個小城裡，也算得上是有頭有臉的人物。這一陣子，據說她先生的後台老闆有了新差事，她先生也被調去助陣，史太太不久也要遷居，相好的太太們爭著為她餞行，輪流設局請客。今天就是輪到安太太作東，牌桌上輸了錢，已經弄得一肚皮的火，小女孩不小心又闖了禍，這更是在安太太的火上澆油。客散之後，她把幾個孩子召來，不待孩子們站定，她走上前去，照著失手打破玻璃杯的小女孩臉上，順手就是一掌，摑了個紮實，安太太身量高大，掌大如扇，她這狠命的一掌，連耳根帶臉頰，衹打得那叫靜靜的小女孩，如墜在雲裡霧裡，耳膜隱隱作痛，耳中嗡嗡作響，眼裡面金星亂冒，臉頰上火辣辣地燒痛。她這邊還沒有緩過氣來，另一邊臉頰又被安太太反手抽了一掌。她再也站立不住，眼睛一黑，就此栽倒地板上。

夜闌人靜，萬籟俱寂。一個瘦小人影從側門溜了進來，他踅進通安太太臥房的甬道，瞥眼一看，赫然四個孩子成班橫隊站在甬道內。那最小的一個，緊挨著他的二姊，兩隻小胳膊緊緊地環胸抱住。小女孩的右手伸在小男孩的背後，用力地提起他的褲腰帶，他瞌睡地打著盹，小小的頭顱似折了籐的葫蘆，垂得低低地，有氣無力地掛在脖子上。冷風從窗縫中擠進來，盡在室中迴盪，空氣變得更爲凝冷。被罰站在甬道內的孩子們，不由得瑟瑟地打著冷戰。瘦小人臉上露出極端不忍神色，低下頭急急地退了出去，用衹有他自己才聽得到的聲音罵了一句「X他奶奶的喪門神」。

安太太來到安家，是在她與安先生生下女兒文文的第四年，前任安太太被迫留下四個孩子，並被迫離開安先生服務的那個小城。那時候大女兒娟娟十二歲，二女兒靜靜十歲，大兒子要要八歲，小兒子團團六歲，都在小城的國民小學上學。前任安太太離開的當天下午，現任安太太就帶著四歲的親生女兒文文跨進了安家的門。從此以後，她把公家配給的佣人辭掉，一應家務雜事，都交由兩個大女兒打理，每月向公家支領的一份佣人工資，便充當了她自己搓麻將的賭本。其次，她又建立了一套新的管教制度－打罵的制度。四個孩子中，因著性向的不同，適應的程度也各異。其中，以第二個女兒靜靜的適應能力最弱，因她個性上的偏執性特強，長期以來，她便成了安太太建立新秩序的犧牲品。

二

靜靜十七歲這年，安先生被上級單位調往台北，當任一個處的副處長，他把家安頓在公家配給的一棟宿舍內住下，仍然享有佣人與司機。安太太也還是把佣人工資扣下，充當她個人的賭本，一切家務理所當然地由兩個大女兒打理。史太太又重新回到安太太的牌桌上來，史先生不再是個軍人，隨著後台老闆轉業而改行，成爲一名企業新貴辦公室的秘書。頭銜盡管好聽，但並不實際，難以滿足他的胃口。前一陣子史先生曾看中一個職位，他掏出一些老本押上，卻沒撈到。現在他身邊收了個乾女兒，名莉莉，祇比靜靜大一歲，兩人還是同學。莉莉十八歲生日這天，史太太特地爲她搞了個生日舞會。靜靜與娟娟都被邀作客，兩人都因爲沒有像樣的衣服，祇得婉謝了。據說，這天被邀請的男士，都是些大有來頭的公子哥兒，安太太事後還真個後悔一陣子。莉莉有著一雙水汪汪的眼睛，黑眼珠流動時，閃著粼粼的波紋。一頭疏疏的秀髮，永遠像淋濕了一般，貼在頭上。襯著她苗條的身材，更顯得柔弱無力地令人憐愛。她不是豐腴型的美女，該挺的地方還是很標準的。舞會過後，有幾個紈褲子弟對她十分垂涎。史先生嫌他們的本錢不夠雄厚，在財與勢兩方面，都還達不到他的要求。故此，都被他擋在門外，近身不得。莉莉的父親，祇是南部一個小縣的公務員，因鄰居是史太太親戚，一次，史太太隨史先生去南部公幹，順便到親戚家走走，玄耀玄耀。夫妻倆看到莉莉擬爲天人，史先生忽發奇想，慫恿史太太收莉莉做乾女兒，史太太一點即透，並立即說妥，帶到台北來上學。

莉莉的母親正愁女兒沒得出路，如鳳凰餵在鴨群裡，能得到史家夫婦提攜，正是如魚之得水，恰中下懷。如是，千恩萬謝，樂得什麼也似的，史先生也誇下海口，一定爲莉莉覓個既年青英俊，又有學識，又有家世，加上還有財勢的對象。莉莉的母親便更加千拜托萬拜托地，向史家夫婦倆不知說了多少好話。按照莉莉的意思，她不願離開父母，去過那種寄人籬下的生活。經不起母親的千求萬懇，更不忍看到母親的一把鼻涕一把眼淚。況且母親的想法不是全無道理的，父親年老力衰，家計負擔過重，萬一有個三長兩短，一家人的生活便會陷入絕境。加之弟妹們的年事尚小，將來能否順利完成學業，這付擔子，全寄托在自己一人身上。想到這裡，她也陪著淌了不少眼淚，含著離別的悲苦，肩著家庭的重負，更懷著不安與悚懼，她隨在史家夫婦的身後，到了台北，闖進了一張未知數的史家大門。這以後，她又隨在史太太的身後，成爲安家的常客。

台北市一群有錢的士紳，發起組織一個慈善性的選美會，準備選拔出一個足以代表中國女性美的少女，赴美國作親善訪問，加強兩國人民間感情交流，由該會提供來回的旅途費用。至於選拔時的門票電視廣告等收入，作爲慈善基金，全部捐贈給各慈善機構。消息被報紙公佈以後，早餐桌上，史先生第一個跳了起來，把個一旁打橫坐著的史太太駭了一跳，驚詫地問道：「你搞什麼鬼？一大清早起來便嚇唬人！」

「我們家莉莉一定有希望。」史先生像是銀幕上的勞萊、哈台，樂相非常滑稽。

史太太被史先生的話和表情愣住了，不知道他葫蘆裡要賣什麼藥？急道：「你瘋了？沒頭沒腦的胡說些什麼？」

「你看。」史先生指著當天早報的頭號標題給史太太看。

「我看不出，它跟莉丫頭有什麼關係？」史太太說著似乎是恍然大悟地接道：「你要莉莉去參加競選呀？」

「不錯，你真不愧是我的紅顏知已，一點就透。」史先生說著，手伸向史太太的大腿，一雙老鼠眼睛，不住地盯住史太太淫笑。

史太太嫌惡地啐道：「死相。三句話不離你的本行。」一邊用手推開史先生伸向她下身的那隻淫穢的手，一邊疑慮地問道：「你得先告訴我，莉丫頭若是選上了，咱們有什麼好處？」

「好處多著呢！你不妨猜猜看？」史先生故意賣關子地說。

「我才懶待猜你那些沒正經的事。」史太太不屑地說。

「嗨！這好處可是關係到你我夫婦的前途和幸福，你可不能不知道呀！」史先生吊味口似地吊住史太太的興趣。

「死相，你有話就快說，有屁就快放，我沒時間跟你嚕嗦。」

「太太你附耳過來，山人自有妙計。」史先生一邊向史太太打着手勢，一邊說着京戲口白。

史太太知道，這是史先生授計的時候到了，便收攝心神，傾耳靜聽丈夫的錦囊妙計。待史先生說完，她躭心地問道：「你相信這筆錢，一定收得回來嗎？」

「太太！我什麼時候算錯過？」史先生得意地說。

「上一次你活動調什麼交際科長，花了好幾萬，不都泡湯了嗎。」史太太也是警告，也是埋怨地說。

「好了，好了，上一次是上一次，這一次是這一次，你祇要好好跟我配合，少洩氣就行了。」史先生不耐煩地呷下最後一口咖啡，拎起椅背上的西裝上衣，出門去了。

「你的麵包不吃了？」史太太見史先生逕自走出門去了，便把早報拿過來，仔仔細細地從頭再把頭條新聞重讀一遍，想到開心處，竟不自覺地笑起來。

這天晚上，史太太做了幾樣可口小菜，直等到莉莉放學回來，才開晚飯。史先生已幾次嚷着肚餓，史太太冲給他一杯牛奶，沒好氣地銃道：「我是在等你的搖錢樹，有什麼好嚷的。」

「太太，這一次成功了，非得給你買個大鑽戒不可。」史先生諂笑地說。

「你別高興得太早，像上次一樣，又來個狗咬水泡，空歡喜一場。」史太太半諷半憂心地說。

「上一次怎麼能跟這一次比，這一次是投其所好，叫作貨賣識家，對症下藥呀！」，「你拿得準莉丫頭一定肯嗎？」史太太更加憂慮地道：「這又得花一大筆錢的呀！」

史先生豎起大拇指彎了彎道：「我看準了這個人一定會肯，她老子娘肯了，丫頭還能不肯嗎？」

正說着，外邊門鈴聲響，史太太趕緊打手勢，阻止史先生再往下說。門開處，莉莉翩然走了進來，輕聲地：「乾媽，乾爹。」

未待莉莉說完，史太太已三步併作兩步搶了上去，接過莉莉臂彎裡挾着的一大疊書，親暱地微笑道：「餓了吧？莉莉，你乾爹說，你最近越來越瘦，叫我以後等你回來一塊兒吃飯，從今天起，我每天做點好吃的給你補一補。」

史先生卸着煙斗，輕鬆微笑地邁着悠閒的步子，踱到莉莉跟前，笑道：「莉莉，最近我看你瘦了很多，是不是功課很忙？」

「還好，謝謝乾爹乾媽的關心。」莉莉不安地說，鼻子裡已聞到菜香，不自覺地聳了聳鼻尖。

史先生迅速地向莉莉臉上瞥過一眼，略顯得意地向史太太遞過眼色道：「太太，開飯吧，莉莉一定餓了。」

史太太把莉莉拉進飯廳，按到椅子上坐下，自己忙揭開蓋在餐桌上的紗罩，四菜一湯端整地擺在桌上，祇見莉莉驚愕地瞪着一雙大眼睛，不知如何是好。

史先生微微一笑，舉起筷子道：「莉莉，吃呀！別老瞪着，吃！這是妳乾媽專爲妳燒的幾樣拿手菜，妳要是覺得好吃，就叫妳乾媽天天給妳燒幾樣。」

史太太笑嘻嘻地挾起一塊紅燒肉，送到莉莉的碗裡道：「嚐嚐乾媽的手藝如何？」

「謝謝。」莉莉的聲音很低，且有點戰慄，像個陌生人地感到侷促不安。她覺得自己的頭腦混亂，因爲史先生和史太太倆人的態度，改變得太以突兀的緣故，反使得她有些張惶失措。幸好，史氏夫婦雖然很注意她，並未發現她的不對勁，看着她悶聲不響地祇管吃，還真以爲她好吃甜頭呢！說也奇怪，平常日子，她回到史家時，不是史氏夫婦已經吃過了，她祇能儘着一些剩飯剩菜來吃。如遇到倆人有應酬，便更慘，她祇能有什麼，胡亂地吃什麼，一個人吃，倒吃得很開心，雖然多數時間吃不飽。她寧願被冷落，當她受到注意時，便會有一種莫明其妙的恐懼襲上心頭，直覺感到厄運就會降臨。

三

中午吃便當時，莉莉告訴靜靜，有事跟她商量，叫她下午最後兩節翹課。靜靜見莉莉說得非常鄭重，料想一定不會是爲了逛街，便答應了。

莉莉和靜靜兩人臂彎裡挾着大叠書籍蹓進了植物園，那本來是專供園藝實驗的園地，現在却蓋起什麼科學館、藝術中心、圖書館、歷史博物館來了。好似一個馬戲班子，既有走鋼絲繩的，也有馴獅的。莉莉和靜靜兩人繞了很久，才脫出那一大堆紅牆綠瓦的宮殿式建築，來到一個供人憑吊的小樹林裡，各揀了一塊石頭坐下。靜靜以手支頤，歪着頭，看着前面壅塞的宮殿式建築，腦子裡雖沒一定的主見，感覺上，總覺得有說不出的彆扭。

她從小就愛好藝術，追求美是她的特質，尤其對環境的氣氛，她具有非常敏銳的感染力。她看了好一陣，忽然嘟着嘴用手指着前面說道：「你看！」側過頭來望着莉莉「這個園子本來是種樹的，現在却蓋這麼多房子，真掃興。」

「樹跟房子有什麼分別?你這人真是多管閒事。」莉莉漫不經意地說，她好像是不得不應付一種差事似的，懶洋洋地向靜靜手指的方向掃過那麼一眼。

「你不覺得整個園子的美，都被這一群蠢物破壞了嗎?」靜靜氣憤憤地議論着。

「我才懶得去管它美不美哩!我連自己的事情都管不了，你這人就是愛管閒事，我勸你還是多照顧照顧自己吧。」莉莉半嘲解半勸勉地說。

「我生來就是個不滿現實的人，不像你，滿腦子就祇有你那個東方白。」

「不滿現實祇有給自己帶來麻煩和痛苦，我們如若不能反抗，就不如乾脆屈就一點的好。」

「照你這種態度，我們祇有一條路好走。」

「一條什麼樣的路呢？」

「任人宰割。」靜靜斬釘削鐵地說。

「那也不見得，許多人庸庸碌碌，不也生活得很愉快嗎！」

「不對，庸庸碌碌不是懦弱。庸庸碌碌祇是功利的一個反面，從熱衷於功名利碌的人來看庸庸碌碌，固是不值一哂。同樣地從庸庸碌碌看功名利碌，也是不值得一哂的。問題還不在這，庸碌人的愉快生活，他們決不是依着屈就的生活方式得來的，也一定是經過一番不屈不饒的奮鬥，才能得到的。你的想法不祇是消極，而是懦弱，根本就在逃避。」

「逃避和不滿又有什麼分別呢？」

「當然不同，逃避是懶於掙扎的一類人，強廹自己去遷就或接受不滿的現實。用自憐、自怨、自艾、自悔來屈就現實的不滿，這種人對自己的命運都不願負起責任，一碰到逆境，他便注定要以悲劇收場。不滿是來自理性的甄辨，積極的不滿，便是產生反抗力量的根源，有反抗便會有鬥爭，有鬥爭便有成功與失敗，失敗者固然與逃避者同樣以悲劇收場，所不同的是，他掌握了自己的命運，和整個悲劇的過程。」

「靜靜，你的話聽起來雖然很有道理，但我不是那號人，你不要白費氣力了。」

「我們不談這些，談什麼呢？你選個題目吧。」

「我找你出來，正是有事情要跟你商量，以你看，我乾爹乾媽他們突然對我這麼好，會不會搗什麼鬼？」莉莉變得憂心冲冲地說。

靜靜雖然比莉莉小一歲，由於她敏於對事物的觀察，這一方面與她自小失去母愛，從與繼母的鬥爭中成長有關。另方面與她具有藝術家深邃的透視力有關。莉莉求助於她，不是沒有原因的，一來兩人的生存環境都很惡劣，二來莉莉依賴她對事物的分析力與判斷力。靜靜想了一想，斂容答道：「莉莉，不是我嚇唬你，這裡面一定有名堂。你想一想，上一次他們給你開生日舞會，就是爲了要釣一個有財有勢的金龜婿，結果；偷鷄不着反蝕了把米，兩個人你怨我，我怨你，搞得烏煙瘴氣，最後還把你扯上。這一次，他們不會再打那種沒把握的仗了，你得小心應付，必要時回南部去，別理他們。」

「問題在我媽媽信任他們。」莉莉憂苦地說：「難道你媽也願意把你的終身幸福，斷送在他們手裡？」靜靜有點氣忿地說：「唉！你根本不知道我媽那個人……」莉莉說到此似有難言之隱，話聲戛然而止。

「你媽怎不能爲了自己過好日子，連女兒的幸福也不管了吧？」靜靜不願繞彎兒討論問題，索性把問題揭開來說。

「你不了解她的痛苦，所以，你也不能怪她。」莉莉爲自己母親分辯道：「那麼，你自己呢？」

「我有什麼法子，我想過好多次，想過我自己，想過我爸爸媽媽。我祇要一想到要孝順他們，我就毫無辦法。靜靜，我常常想，人活着真是個好大的負擔。」莉莉說到這兒，低下頭去飲泣起來。

「我真想不通，你媽爲什麼要巴結史家，明明是兩個壞蛋。」靜靜同情地批評道：

「我們家窮，我媽最恨的就是窮，無論是吃的、穿的、住的、用的，沒有一樣能夠趕得上人家，你叫她怎麼不難過？」

「所以你媽就把你交給史家，希望這兩個壞蛋給你找一個有錢的人，她就可以過好日子啦！」靜靜像個法官宣判罪狀似的，批判着莉莉的媽媽。

莉莉也有點火了，沒好氣地回道：「人家有事來找你打個商量，你淨來批評我媽，這算什麼意思？」

「你看不出嗎？問題就出在你媽身上，如果你媽不同意，他們要什麼鬼花樣也沒用，如果你媽也贊成，你又要盡孝，那我們想爛了也想不出辦法來。」

「唉！我看也祇有走一步算一步了。」莉莉無可奈何地說：「你有沒有把這件事，告訴你的東方白？」

「我不想讓他知道。」

「爲什麼？也許他有更好的主意。」

「你不是不知道，他那個人容易衝動，動不動就要跟人家拚命，事情還沒一點影子，我怎麼敢跟他說。」

「如果我是你，我就樂得吃他們個痛快，要聽他們擺佈，那便談也不用談。」靜靜灑脫地笑着說：「你現在嘴硬，是因爲事情沒輪到你身上，若你也有那麼一天，我看你還能灑脫得起來？」莉莉略帶譏諷地說：「我才不管它孝不孝哩！他們要想自己過好日子，就來擺佈我，哼……」

「怎麼樣，不敢說了吧？中國人就是中國人，你怎麼也擺脫不了那個傳統，它到底是維繫了我們中國五千年的文化。」

「你好像很喜歡這個文化傳統呢？」靜靜鬥氣地說：「你不喜歡它又有什麼辦法，你擺脫得了嗎？我們必須生活在這個社會裡面，總比別人在後面罵你不孝要好些吧。」

「不孝又怎麼樣？難道我們孝順他們，就是聽任他們的擺佈？」

莉莉聽了靜靜的話，禁不住笑了起來，她笑了一陣才道：「我的二小姐，我問你，你若是不聽他們的話，怎麼叫做是孝順他們？」

「他們要你去做妓女，你也去？」

「他們真要那麼做，我也沒法子，我想，我媽還不致於昏到那個樣子。」

「天下多的是那種昏頭的媽媽。」

「那是別人的事，我管不着，反正人活着都是受苦，做妓女還不也是一樣。」

「你又來了，剛剛才說過，做人不能消極自私。」靜靜反對地說：

「當一個人什麼都得依靠別人的時候，他怎麼能夠積極得起來。」

「這正是你的毛病，你要知道，一個人一旦有了依賴心裡，那他這一輩子便注定要被犧牲。」

「靜靜，我實在沒有辦法能掙脫得出去。」莉莉又悲苦地啜泣起來。

靜靜不忍地移近莉莉身旁，拉住她的手勸道：「莉莉，如果你當我是你的朋友，就聽我一次話。」

莉莉愈哭愈傷心，不斷地揩拭着眼淚和鼻涕，半晌才幽幽地回道：「正因爲你是我唯一的朋友，我才要把這些事情告訴你。」

「那麼我勸你回去好好地跟你媽談一次，把這些利害關係分析給她聽，希望她能以你的幸福爲重。」

「我媽何嘗不知道，她當年嫁給我爹，就是爲了愛情，結果苦了自己一輩子，她不願意再受苦，更不願意看到我將來跟她一樣受苦，她也是一番好意，所以……」

「所以才要把你交給史家這兩個壞蛋，而你也就……唉！莉莉……」靜靜看到莉莉的哀苦情形，把到了嘴邊的話又嚥了回去，抬頭看看天色，站起身來道：「走吧，我們也該回去了，要不，我那後娘的籐條又要加菜了。」

莉莉報復式地展顏笑道：「怎麼樣，你不是不怕的嗎？現在也向傳统低頭了。」

「你等着瞧吧，總有一天我會讓你知道的。」

四

週末這天，安太太照例應酬出去打牌，只有安先一個在家，靜靜做完一整天的家務事，覷了個空，來到安先生面前，趦趄着在安先生躺着的搖椅前，來回繞了三次，終於鼓起勇氣叫道：「爹！」

「……」安先生連眼皮也沒抬一下，仍舊泰然地假寐。

「我的裙子破了，隔壁吳裁縫店裡，有一條祇賣三十塊錢。」靜靜囁嚅地央求道：「裙子破了不會自己補，動不動就要買新的。」安先生冷厲地訓斥道：

「這條裙子已經穿了三個學期了，補了好幾個補丁，不能再補了。」靜靜說着還轉了個圈，讓安先生看她裙子上的補丁，証明給安先生看。

安先生還是沒有睜一下眼皮，只簡短地回道：「沒有，等你媽回來問她要。」

靜靜原也沒作大指望，祇是碰碰運氣罷了，心安理得地回房去睡覺了。

黃昏時分，安太太意外地提早回來，掖下還挾着一個百貨公司的包裝紙袋。一進門就嚷着叫靜靜，團團還以爲靜靜又有什麼把柄讓安太太抓住了，慌慌張張地跑進靜靜房裡，搖着躺在床上的靜靜叫道：「二姐，喪門神在找你，快去，別又是犯了什麼銃？」

喪門神是他們姐弟們私下叫安太太的名字，靜靜每當聽到喪門神時，腦際便會泛起老王那個瘦削的人影，一個善良正直的老軍人，常常給他們講每天吃十二兩糙米飯，打日本鬼子故事的那個汽車司機，就是他，把安太太罵作喪門神的。靜靜忽發奇想地問道：「團團，如果有一天我離開了你，你怎麼辦？」

團團驟然聽靜靜說要離開他，淚眼汪汪地哭道：「二姐，你說什麼？你爲什麼要離開我？」

靜靜也禁不住難過起來，好像真有了那麼回事，一把攬住團團道：「姐跟你說着玩的，你哭什麼？羞不羞！都這麼大了，動不動就哭，還男子漢大丈夫呢！」說着捧起團團的臉，看了一陣，外面又響起了安太太的嚷叫聲，靜靜拉起團團的手道：「走，去看看那喪門神在叫什麼？」

靜靜來到客廳，站在適才向安先生要錢買裙子的地方，安太太一反常態地不再疾言厲色，雖一時拉不下臉來輕言細語，還是不得不從厚肉堆裡，擠出一絲似笑非笑的縐紋。她壓低嗓門，指着身邊百貨公司的包裝紙袋道：「裡面是我給你買的一套衣服，拿去試試身，不能穿，就趕快拿去換，喏！這兒是發票。」說着將發票扔到一旁茶几上。

靜靜沒有立即去取衣服，她習慣性地在腦海裡轉着各種不同的念頭。她開始爲自己畫像，他們想着自己穿着純白色的結婚禮服，曳着拖地長紗，與個白髮老頭在教堂裡結婚。同時，耳邊響起莉莉的聲音：「看吧，你也向傳統低頭了吧！」靜靜冷笑着翻過畫面，送到莉莉面前叫道：「你看，這是什麼？」原來反面畫的，靜靜正站在山坡上，臉上一片堅毅神色，朝前面的山巒望去，肩上扛着個大鐵錘，山坡下鐵軌被斬斷處，躺着一輛舊式蒸汽火車頭，口吐白沫地喘息着。

「人家史先生爲了你的事，安排了好久，才得着這麼個機會，事到臨頭，你居然說不去，你這是什麼意思，你拿老娘來開心。」

靜靜正想得出神，耳中忽然傳來安太太的話聲，他們似正在爭論着什麼？這引起了靜靜的好奇，暫時收攝心神，傾耳靜聽起來。

安先生仍舊是那副姿勢，躺在搖椅裡，唯一不同的是臉上綻出得意的笑，那是很難見到的，一種開心喜悅的笑。只見他睜開眼睛，像電影鏡頭般自左至右，將整個房間掃瞄一遍，他的臉也倏地變得不快地命令道：「靜兒，還站在這兒幹什麼？還不去試你媽買回來的衣服。」

安太太先是習慣性地一瞪眼，冒出幾顆金星，正當她揚起莆扇般右掌，剛慾作勢劈出去的瞬間，腦際靈光一閃，把揚起的右手，緩緩地落到身邊的茶几上，用食中二指，夾起那張發票，遞向靜靜站立的方向，然後淡然道：「明兒史媽媽請客，媽帶你去見見世面，女孩子家總不能老窩在家裡，何況史媽媽這次請客，完全是爲了你爸。」

爲了爸的什麼？安太太沒繼續說明白，靜靜向來也懶待多問，她在家中，常常是個半啞巴，十天半月不說一句話。因此，當她默不吭聲地提起包裝紙袋，回到房間去時，安先生與安太太祇對望一眼，沒有覺得奇怪或不悅，安太太的眼角眉梢，露出難以掩飾的得色。安先生與安太太已習慣於孩子們的沉默方式，自從現在的安太太成爲安家的女主人之後，歡笑便從這個家中絕跡，一種冷漠式沉默，替代了天真爛漫。對安太太而言，只要能在孩子身上施展權威，便是一種滿足。在這個家裡，孩子們接受權威的管束，甚致制裁，乃是一種義務或天職。當靜靜拿走安太太爲她買的衣服，便表示服從了安太太的安排。

五

靜靜手摯畫筆，歪着頭，凝神注視着畫架上一幅未完成的畫稿，見到自己那手握鐵鎚的形象，不禁神馳於自己的冥想中。還是安太太那習慣性的叫聲，把她拉回現實。她不得不放下畫筆，去準備參加今晚的宴會。她且一再地告誡自己，不能衝動，要以最大的忍耐，來從事自己的計劃。她換上安太太新買的衣服，緊身的T恤衫，把她的大胸脯襯托得更爲突出，藍底白花的迷你裙，短到剛剛蓋住內褲，她那雙均勻白皙修長的大腿，幾乎全裸在外面。她先是賭氣地除下衣服，扔到一邊的牆脚下，回盼一瞥，見到畫布上，自己手舉鐵鎚的姿勢，她傾注一會，大眼睛裡忽然射出光芒，同一瞬間，她搶上去拾起衣服穿上，還着意將自己打扮一番，存着迎戰的心理，去赴史家的宴會。

進門時，所有先到的客人都迎到客廳門口，七嘴八舌地吵嚷。史太太一把拉住靜靜，如捧鳳凰般擁進客廳，然後朝靜靜上下打量着，才衝着安太太驚叫道：「我原以爲莉丫頭夠美的了，如今，看到你們家的靜靜，我都想改做男人了。」

史太太的話，引起全場人的哄笑，也招來全場人的目光。媽媽們爭着來和她熱絡，幾個老頭子伯伯爺爺們，也都瞪大着兩隻老花眼，瞧個不停。尤其是靜靜的兩條大腿，就像是兩條電炬，把那幾個糟老頭子照得腦昏眼花起來，說話也顛三倒四的不知輕重。媽媽們藉着呷醋，也假癡假狂地與其他男人嗲着膩着，整個屋子都在翻騰。人們平日隱藏着不敢說的，都說了，該避諱的，也不再避諱了。一下子使所有的人都回到了青少年時代，似乎人們衹嫌多穿了一件衣服，若然，就更加赤裸裸地沒有遮攔了。

靜靜一直保持着緘默的態度，也是她對付安太太的一慣態度，當史太太挽着她介紹給長輩們時，她衹止於禮貌的點頭示意。對那些貪婪的目光，一概視而未見。事實上，她的身材，也太富於性的誘惑，再經安太太的服裝襯托，便更不能責備旁人的放肆了。

請客不能沒有牌局，經過一陣推讓，老頭子們與太太們先後都上了桌。靜靜被史太太强拉在身邊，坐在一旁觀戰。史太太對面坐着一個臃腫的富貴女人，六十開外的年紀，講話時，官氣十足。她就是安先生頂頭上司吳局長夫人。史太太的上手，預計是莉莉母親的位置，因爲她還沒有來，臨時拉來一位姓方的太太，她先生在新聞界工作，蠻有點苗頭。

方太太與史太太同樣有着一張會說話的嘴，還有一對會察言觀色的眼睛，她與今天的宴會根本扯不上一點關係，唯因她是史太太行事時的搭當，故能插上一脚。安太太坐在史太太的下首，她的動作和表情顯得很侷促，說話時，口齒也不似往日般便給。最怪的，她時常拿眼光來望着靜靜，好似遇着什麼困難求救一般，靜靜衹當視而不見，低着頭盡看史太太打牌。但她的內心裡，並不似表面般平靜，她除不時偷眼察看四週環境，更聚精會神地聆聽她們的談話。

「聽說莉莉的先生蠻風流的？」方太太搭訕着說：「那個猫兒不偷腥，男人沒一個不風流的。」史太太說着，世故地拿眼光來徵詢吳局長夫人的意見。

吳夫人微微一笑，慢吞吞地打着官腔道：「十個男人九個壞，就看太太怎麼帶。」說罷衝着安太太問道：「安太太你說對是不對？」

「對！對！」安太太有點心慌意亂地顯得手足無措，但當她想到安先生時，又不覺威風凜凜地道：「誰說不是，像我們家那個老鬼，他敢？」

安太太徒地臉頰飛紅，連頸項都發起燒來，這不尋常的羞赧，連靜靜都覺得奇怪。原來安太太想起了自己來到安家，趕走了前任安太太，霸佔住她的位置，既非明媒正娶，又不是黃花閨女，這話根兒實是刺到自己痛處。想到窩囊處，真恨不得照着方太太的臉上，就是一巴掌，這女人忒也可惡，什麼不挑，專挑帶刺兒的說。

方太太見安太太的臉色有異，盡拿帶火星兒的眼光看着自己，心知八成兒是剛才的話出了紕漏。想着今天的任務，就是幫着史太太做一堂大媒，史太太送的絲絨旗袍料，還擱在裁縫店裡沒有下刀，如若把事情弄僵了，別說將來的媒人謝金要泡湯，祇怕那件到了手的旗袍料，都將嘔出來原璧奉還。她驀地抬頭，又見到史太太手上新買的大鑽戒，星光閃閃，耀眼生花，這使得方太太的心中，有了計較，她把話題拉回莉莉身上，讚嘆着道：「聽說，莉莉是個孝女，今天的年青人，還懂得要孝順父母的，真不容易。」

「是呀！她不止人生得漂亮，最難得的，她還是個孝女，可惜我家大寶沒這個福氣！」吳局長夫人有意無意地向靜靜瞥過一眼，婉惜地說：史太太隨着吳夫人的眼光，也側目掃了靜靜一眼，興奮地接道：「說到莉莉的孝順，我給您講個故事。她十四歲那年，她媽害了一場病，嘴饞得不得了，有一天，她媽忽然想吃蘋果。夫人，您想，那時候她們家住在南部，買蘋果要到有冷庫的店裡才有，價錢貴得嚇死人，她爸的收入，還不夠一家人糊口，加上她媽的醫藥費，那有餘錢給她媽吃蘋果。莉莉不忍心，把自己的一頭長髮，賣給做假髮的工廠，得了八十塊錢，給她媽買了兩個蘋果。」

吳局長夫人擦了察眼睫皮，嘆息着讚道：「我的天，多可憐的孩子。」

「誰說不是，大了以後，祇要是她媽說的，沒一件不依從的。直到現在，她婆婆分給她什麼好吃的，她都省下來，帶回去孝敬她老子娘。」史太太一邊敍述，一邊使勁地乾擤着鼻涕，好像忽然得了感冒似的。

安太太喟然嘆道：「唉！我祇要有半個這樣的女兒，死了都值得。」

「你不要人心不足，你們家兩個大丫頭又錯到那兒去了，論人品、論孝順，那一樣都不比別家差。家務事，從早到晚，那一樣不是她們倆料理。」史太太抱不平地說：「這倒也是真的。」安太太說着，偏過頭來看着吳局長夫人，鄭重地道：「多少年來，也真難爲她姊妹倆，家事我一概不管，都是她們打理。」

史太太衝着吳局長夫人笑嚷道：「看吧！」指着靜靜「這麼好的女兒，她媽還不滿意。」又轉頭衝着安太太笑罵道：「你又不病，又不死，總不能爲了孝心，叫孩子們爲你去賣頭髮吧？」

「哎呀！我才說了一句話，就招來你這麼多舌頭，今天真是倒霉。」安太太故作委屈狀地說：「本來嘛！誰叫你坐在福中不知福，外邊有多少人羨慕你，也不知道你那輩子修來的福份，打着燈籠都找不到的乖女兒，偏都生到了你們家。」方太太也幫襯着說：「你要是喜歡，你就帶走吧。」安太太開心地笑着說：吳夫人側過頭來，將靜靜仔仔細細地端詳一會，靄然讚道：「多水靈的孩子，真是一山比一山高，一個比一個俊，一個比一個乖，也真難為你們這些個媽媽們，是怎麼調教的，這麼好的乖女兒？」

「夫人，她不要哩！我要了，乖女兒，今晚就跟方媽媽回家。」方太太忘形地說：「靜靜，聽到沒？你媽把你送給方媽媽了，要不要史媽媽給你作個見証人？」史太太笑着拉住靜靜的手說：靜靜祇顧低着頭，不出一聲，但在她心裡面，卻在大聲地對自己說，冷靜、冷靜。

史太太還不死心，搖幌着靜靜的手問道：「怎麼樣？你是要你的舊媽？還是新媽？」這話逗得全場的人都哄然大笑起來，靜靜祇覺着一陣刺痛，徒地想起自己的母親，不覺悲從中來，幾乎抑制不住。吳局長夫人見狀，以為靜靜的臉嫩，經不住大人們的逗弄，趕緊打圓場道：「別逗了，孩子第一次出門，你們這群媽媽們也真是，盡拿孩子來開心，都快把孩子逗哭了！」

「哎喲喂！我的局長夫人，人還在我這屋裡哩！您就護着啦！」史太太打趣地取笑着。

「俗話說，不是一家人不進一家門，夫人，您這是相定了？」方太太也不甘落後地擠對着說：「你們兩個狐狸精，總有一天，我要撕爛你們倆那張嘴。」吳局長夫人笑罵着，語氣中透着親暱，不再官味十足了。

方太太伸了伸舌頭。

史太太可是揀着了機會，笑嚷道：「狐狸精可是會變的啊！您不怕我變成個男人，把您的寶貝兒媳婦騙走？」

吳局長夫人指着史太太佯嗔道：「你看你……」

「死鬼！你真是越說越不像話了。」方太太也笑罵着。

牌桌上的四個人，三個人正說得投機，祇有安太太她橫豎都插不上嘴，唯有一旁陪着乾笑，她臉上的肌肉，一痙一痙的顯得極不自然。

幾個人調笑一陣，方太太忽然斂容道：「夫人，聽說您和莉莉的婆婆是朋友，是嗎？」

「不是朋友，是親戚。」史太太得意地解釋着說：「我和她婆婆是遠房的堂姊妹，她婆婆大我三歲。」吳局長夫人細心地回道：「既然這樣，那就更好辦了。」方太太正說着，右手摸到一張七餅，清一色自摸，已經和了。心下躊躇着該不該和，聽說這位局長夫人，手頭雖濶，卻是個輸不起的人物。

史太太察言觀色，早已料到方太太的心事，便打訕道：「有話說話，有牌打牌，別躭擱局長夫人自摸清一色。」說着，還怕她不能醒悟，又在桌底下踢她一脚。

方太太打出一張一餅，接着道：「我想發起成立一個第二十五孝後援會，恭請您老做會長，擇個日子，給莉莉加封爲第二十五孝現代孝女，讓報紙大肆宣傳一下。」

史太太聽到要封莉莉爲第二十五孝，樂得什麼似的，即刻跳起來嚷道：「好哇！我第一個報名参加後援會。」她衹顧興奮，忘了察看河裡的牌，隨手打了一張二萬。

對面吳局長夫人一聲大叫，把一旁正將入睡的靜靜駭了一跳，以爲又是自己打破了玻璃杯，激怒了安太太。原來吳夫人聽清一色二萬，和了個正着。

史太太嚷着不打了，要封牌，下女跑來叫聽電話。

電話是莉莉母親打來的，莉莉的先生得了急症，進了醫院，不能來赴約。史太太的宴會，主客本不是莉莉，祇因爲她對今天的場面，可以產生穿針引線的效果，才巴巴的要她参與，現在事情進行得相當順利，她既自己取消，史太太也就樂得做了人情。

但坐中最感失望的是靜靜，她此來的目的，就爲着見莉莉一面，如今莉莉既不能來，她呆在史家如坐針氈，吃飯時，也味同嚼蠟，她不待席終人散，便推故告辭回家了。

六

植物園中的那片小樹林裡，靜靜和莉莉兩人，又各自坐在前一次兩人坐過的石頭上，莉莉已不是從前的樸素模樣，但也還沒有染上浮華膚淺的富貴氣息。除了左手中指上戴的那顆耀眼生輝的鑽戒，身上穿着一件淺色洋裝，淺色的高跟鞋，與皮鞋同顏色皮質的手提包。看得出，她在儘量避免眩耀。她自從鬧過自殺之後，幾乎是閉門不出，像靜靜這樣熟稔的朋友，都無緣見上一面，社會上對她的生與死，一直是個謎。今天，還是莉莉主動找到靜靜，她們才有機會躲到這個不為人注目的地方，小聚片刻。

靜靜還是那個老樣子，一條黑布學生裙，補了三個補丁，白襯衫，清湯掛麵型的頭髮。唯一有些改變的，是她的眼神，似乎比前更為明亮、澄澈。她的態度，比前更見成熟、堅毅，莉莉觀察她一陣之後，略顯放心她說：

「看你現在的樣子，着實比從前的我要堅強得多。」

「當然，我一向主張，命運要掌握在自己手裡，決不讓別人來擺佈。」

「你能做得到嗎？」莉莉不無躭心問道：

「我自有我的辦法。」靜靜斷然地說：

「上一次去史家相親，他來了沒有？」

「誰？」

「你未來的先生。」

靜靜禁不住笑起來，好久才又接道：「真是活見鬼，我什麼時候去相過親啦？」

「那天史家請客，就為的給你相親。」

「哼！原來如此。」靜靜說着恨恨地捏了一下拳頭。

「他從美國回來，先到學校去相過你，然後是他父母要見你，才由史家作東請客，你知道了吧。」莉莉關心地說：

「你說的是誰呢？」靜靜說到這裡，忽地想起一事，若有所悟地道：「啊！我想起來了，你說的是不是那個什麼局長夫人？」

「一點都不錯，吳局長是你爸的頂頭上司。」

「我爸不是幹得好好的嗎，他爲什麼……？」

「你爸想當處長，所以才要攀這門親事。」

「那史家的神通也真夠廣大，他們怎麼會認識吳家的呢？」

「說穿了，一點也不稀奇，吳家跟我婆婆家是親戚，我乾爹現在是交際科長，你想……？」

「這兩個壞蛋，真是陰魂不散，居然腦筋動到我的頭上來了。」

「其實，吳家表弟人是不錯的，除了一條腿有點毛病，據說他小的時侯，得過小兒痲痺症，人很忠厚老實，學問又好，又在美國得過博士，又有綠卡。」

「鬼才稀罕他。」靜靜不屑地說：

「你不要不識抬舉，別說他是博士，就是那張美國綠卡，已經是多少女孩子夢寐以求的了。」

「什麼是綠卡呀？」靜靜不解地問道：

「哎呀！我的小姐，虧你還是台北的時髦人物，連綠卡是什麼都不知道？」

「我們家又沒外國親戚，怎麼會知道呢！」

「美國綠卡，就是美國的永久居留權，你有了它就是華僑了。」

「那又有什麼了不起？我們住在這兒不也很好嗎。」

「這年頭誰不想出國，祇要出過一次國，回來就身價百倍，你要是嫁給他，以後就是華僑，雙十節回國，還可以坐到總统身邊看閱兵大典，你想，那有多神氣。」

靜靜冷笑着偏過頭去，眼光落在遠處的紅牆綠瓦，那幾棟宮殿式建築物上，她每看到這堆蠢物，心理上有着說不出的不舒服，又說不上是什麼原因，突覺腦際靈光一閃，這使她想到大學聯招時的入學試題，中國文化基本教材－大學中庸論語孟子，再連繫到方太太口中的第二十五孝，就像她身上穿的這條黑布學生裙一樣，已經是補了又補，雖然到了早已該扔的時候，她還不能不穿着它。

莉莉見她許久不搭腔，以爲她在生氣，自己又不知該怎麼說，便也僵在一旁不出一聲。

過了一陣，靜靜忽然回過頭來問莉莉道：「你是不是來做說客的？」

「你媽跟我媽講，要我來跟你說，你的婚事，關係到你爸的前途，要你千萬別任性，千不念，萬不念，念他們養你一場。」

「你也要我步你的後塵，做第二十五孝的現代孝女？」靜靜憤憤地說：

聽到靜靜的話，莉莉突然沉默下來，她那原本是抑鬱幽怨的眼神，變得更爲哀傷悽切起來，瀅瀅的淚光，含哀欲滴。靜靜見到此情此景，知道是自己的話刺傷了她，後悔不叠，便蹲到莉莉的身邊，攬住她的腰道：

「你到底是怎麼回事？爲什麼要自殺？你受了什麼委屈？告訴我，快告訴我。」

莉莉無聲地飲泣着，她說不上是恨、是怨、抑或是悔。總之，她像一株被冰凍的寒梅，顯得那樣地悽冷哀絕。

「靜靜，你知道我怎麼結的婚嗎？」

「不知道，祇聽說你結了婚，嫁給現在的丈夫。」

「我從美國回來，我乾爹給我接風，請了很多客人，我媽也從南部趕了來，那天我被他們灌了很多酒，第二天醒來，我發現我睡在……」

「說呀！爲什麼不說了？莉莉，說吧，說出來反而會好受些。」靜靜哀懇地鼓勵着。

莉莉的心情非常激動，祇見她呼吸急促，身子微微地顫慄，兩眼乾澀如火，眼光直射，眼珠外突。靜靜從未見過她這般恨毒的樣子，不自覺地鬆開環抱着莉莉的雙手，微微地向後仰身，不知所措地凝視着莉莉。直到莉莉閉上眼睛，攬住靜靜幽幽地道：

「我睡在他……」莉莉的話聲越來越低，低到連自己都聽不見了。

「你現在的先生，還是……？」

「是他的爸爸。」

「我的天啦！他還算是人嗎？」

「不久，我有了身孕，他們安排我的婚事，我那時就想一死了之。又是我媽，好說歹說，爲了家，也爲了他們，我祇有苟且偷生。沒想到，孩子生下來以後，有一天，老頭子又闖進我的房間，硬要我……」說到這莉莉已泣不成聲。

一向堅強的靜靜，聽到莉莉的敍述，也陪了不少眼淚，她恨恨地罵道：「真是禽獸都不如。」

「靜靜，有錢有勢人家，大都是這個德行，你要拿定主意。」莉莉抑住感傷警告着說

「謝謝你，我會知道該怎麼做的。」

「那我就放心了，你現在還怪我來作說客嗎？」

靜靜的臉頰緋紅，関切地道：「躭心你自己的身體，我看你更加瘦了。」

「以前常聽人家罵別人是活死人，我現在才知道什麼是活死人，你當我死了就是了。」莉莉是在與靜靜分別時，坐在計程車裡面，對站在一旁揮手的靜靜說的，未待她的話說完，司機已緊踏油門，車子像突起發難的猛虎，就此風馳電掣地走了。

七

史家請客後不久，適逢靜靜的十九歲生日，安太太親自下厨，做了一桌豐盛的菜餚，

又特爲跑到中山北路，專做美軍生易的西點店，買來一個十二吋大生日蛋糕，除了史太太，沒有請其他客人。史太太送給靜靜一套非常漂亮的洋裝，安先生也破例請假一天，在家主持全家的餐會。飯後，按照時下的習慣，分享蛋糕。這是自現任安太太進門之後，從未有過的第一次，因此，孩子們顯得特別矜持，甚至感到陌生不安。一向威嚴冷漠，罕言寡語的安先生，也放下身段，說了很多的話。最後，他歉然的表示，多年來疏忽了照顧靜靜姊弟們的飲食起居，一則因爲自己的公事忙碌，再則，他覺得有現在的安太太分憂，他儘可放心。所以，自己便常常忽略了做父親應有的責任。靜靜聽到激動處，真恨不得抱住安先生大哭一場，表示自己素來對他敵視的懺悔，真想從現在起，以後再也不違拗他的意思。

安先生愈說感情愈是冲動，竟也眼眶微微發紅，眼窩內的淚珠瀅瀅欲滴，聲音也略略地顫抖，他撫着靜靜的頭（靜靜有生以來，第一次被安先生這麼輕柔地撫愛着）唏噓地靄聲說道：

「靜兒，你從小就倔強，所以挨了不少的打，我有時候心裡很難過，但對你一點辦法都沒有，祇有眼睜睜的看着你媽打你，其實，她也是爲你好，女孩子太倔強了，是不會幸福的，天下沒有一個作父母的人，願意看到將來自己的子女不幸福，所謂打在兒身，痛在娘心，那還不都是爲了你將來好。」

這時候，靜靜已泣不成聲，多少年來的委屈，都在這一會兒迸了出來。既心酸，又安慰，她終於贏得了自己父親的關切。

安太太也嘆息着說道：「現在好了，你們也都大了，用不着我來操心了，祇要你們夫妻過得幸福快樂，也不枉我們養你一場。」安太太說到「你們夫妻」時，也覺着自己的話突兀了些，但話已出口，也祇得罷了。

但聽到靜靜的耳朵裡，又像是安太太的籐條抽到自己身上一般，徒地使她感到一陣刺痛。抬起頭來，一眼瞥見安太太臉上詭譎的表情，再掃過安先生時，他的臉上，也正展現着一股似笑非笑的意滿心足神色。

靜靜驚覺地理了一理自己的思緒，把多少年來的生活經驗迅速回憶一遍，如果自己判斷得不錯，今天的生日飯，是有目的的安排。她作了一番計較之後，便儘量壓抑住自己衝動的情緒，等待事態的發展。一旁擔任助演的史太太，還沒發現靜靜的情緒變化，馬上抓住安太太的話頭，接下去說道：

「靜靜，史媽媽今天要告訴你一個大好消息，那就是你爸爸的頂頭上司，吳局長的公子相中了你。吳家少爺的脾氣好，學問好，工作也好，又是史媽媽給你做的媒，所以說，這門親事是最適合你不過了。」說罷，她停歇一下，以觀察靜靜的反應，這時候的靜靜祇顧低着頭，像是非常羞赧的樣子，史太太認爲這是少女們默認婚事的正常態度，便更無顧忌地繼續說道：「現在雖然是講究自由戀愛的時代，但史媽媽一向知道你是一個乖順的女兒，你爸的決定，也純是爲了你着想，況且……況且，吳家是你爸的頂頭上司，將來對你爸也有好處。不錯，吳家少爺是有一點點缺陷，你千不念，萬不念，總得念在養肓之恩上。」說到這兒，史太太與安先生夫婦交換了會心的一瞥，三個人不約而同地向靜靜投出焦慮的目光。靜靜的頭埋得更低，整個臉頰低到了桌沿以下，似有意躲避三人的目光搜索般，安太太向史太太努了努嘴，史太太又試探地說道：

「你們若結了婚，你不久就得去美國，這是別人求都求不到的機會，將來你也可以拿把你弟弟妹妹去美國唸書。所以說你的婚事，不祇關係到你個人的幸福，也關係到全家人的幸福。」史太太說到這兒，見靜靜仍然是那付老樣子，自覺沒趣，便刹住話頭。給安太太遞了個眼色，安太太見狀，心裡面也掛了十五個水桶，七上八下的不安起來，也拿眼光來擠對安先生。安先生假咳了一陣，然後極不自然地叫道：

「靜兒！」

「……」

「靜兒？」語氣中略顯不悅地再叫一聲。

靜靜抬起頭來，臉上一派漠然的表情。安先生微覺有氣，同時，他心裡也不禁嘀咕起來，剛才還被自己說得激動難安的靜靜，怎麼突然會變卦的，他猜不透毛病出在那兒，也就不敢過份逼迫，便溫言問道：

「你自己的意思怎麼樣？」

靜靜裝糊塗地應道：「你們講的是誰？我一點都不知道。」

「哎呀！這都是史媽媽的錯。」史太太見靜靜沒有提出反對，便搶着打圓場說道：

「我真該死，早該想到讓你們兩見見面，看場電影什麼的，這都是史媽媽的不是，我馬上打電話，叫他下午陪你出去玩玩。」

史太太說到做到，電話接通以後，對方答應十分鐘內趕到。史太太不由分說，將靜靜推進房間，換上她送的那件洋裝，這邊靜靜還沒打扮好，外面已經響起了汽車喇叭聲，史太太沒容對方下車，就把靜靜推了出去，將她塞進汽車裡，嘭地一聲將車門關上，好像祇要把人關了進去，就不虞她逃掉似的。

靜靜回來時，全家人都已睡着，第二天上午，她獨自來到安太太的床前，安太太尚未起身，見靜靜進來，劈頭就問道：

「昨天你們玩得好不好？」

「還好。」

「吳少爺跟你說些什麼？」

靜靜不待安太太說完，插口道：「請你把户口名簿給我。」

「怎麼？還沒結婚，就忙着辦出國了？」安太太略帶驚喜地說：

「嗯！」靜靜祇含糊地應了一聲，沒再說什麼，心裡面卻是一片得意。

安太太急忙將户口名簿和身份証交給靜靜，還關照她早點回家吃午飯。

結婚的日子訂在星期五上午十點，在台北地方法院公証處舉行公証結婚，星期六請結婚喜酒，星期天上午新郎飛美。這個程序全由史家夫婦作主代包代攬訂了下來。靜靜也在近幾日內，突然忙碌起來，每天早出晚歸，大包小包的挾進帶出。安太太祇當她與吳家少爺約會忙，私底下着實爲這件如意婚事慶幸不已。雖然，她也想知道靜靜究竟在忙些什麼？有時候還不免發生壞疑，但由於過往的隔閡與不歡，這會兒實在不敢開罪她，生怕引起靜靜的反感，壞了大事。這給了靜靜更多的方便，開始還諸多顧慮，後見安太太對自己儘着諂媚遷就，便更加大膽積極地進行自己的計劃了。

臨結婚的前一晚上，靜靜要求去莉莉家住宿，理由是她想跟莉莉聊聊，多知道一點有關吳家的情形。安太太想了想，覺得沒有什麼不對的地方，因爲莉莉正是自己請托出來的說客，她婆家又是吳家的至親，靜靜要去找莉莉聊聊，不也是合情合理的嗎！雖然時間上覺得不妥，但她覺得自己可以用電話控制。於是，安太太便爽爽快快地答應了，且親自給莉莉打了個電話，說明靜靜的主意，並暗中叮囑莉莉多加注意。這還不夠，還用公家的車將靜靜直接送到莉莉家中，當她覺得自己處置得萬無一失時，才欣欣然放下心中石頭。

八

結婚這天，莉莉陪着靜靜，一大早就到了台北地方法院公証結婚處，在敞廳門口，遇到鵠侯在那裡的史太太，靜靜搶先給她打了個招呼，遠遠的已聽到安家與吳家相互熱絡的寒喧聲。她把手上拎着的白色手提袋（吳家少爺送給她的美國禮物），交給莉莉，大聲說道：

「我要去一號，一會兒見。」

史太太一把沒撈住，便在後面叫道：「快去快回。」說着親暱地拉了莉莉，迎向湧進來的吳安兩家人。大家七嘴八舌地說着吉祥如意祝頌之類的話，每個人的臉上，都堆着歡愉的笑容。

那位博士新郎，雖不見他欣然色喜，左脚一跛一跛地，來回在敞廳裡踱着，眉宇間不時流露出興奮得意的神色，尤其在史太太不斷大聲的叫嚷下：「美國博士」的迴聲，縈繞在敞廳裡，久久不絕。它招來全廳人的眼光，許多做母親的人，更是看得呆了。那一跛一跛的腳印，映在敞廳的地板上，好以一張張綠色的鈔票，在那兒飛舞。一對對嫉羨眼光，更加增加了博士皮鞋的觸地聲。跛蹓的範圍，也逐漸擴大了。

莉莉順着他活動的身影，瞥眼看到一對母女的身影，遠遠地注視着這邊，她雖看不清對方的面目，依稀記得是在史家的宴會上見到過，她今天稍覺舒暢開朗的心情，驟然間被那對母女的身影抹上一層陰霾，拂之不去。那久駐心頭悽愴落漠的悲哀，又重覆襲上心頭，一陣痛楚，她幾乎就要昏厥過去，多虧史太太的話聲，把她從隱痛中驚醒過來。

「靜靜呢？莉莉，她怎麼還不回來？」

「她不是上一號去了嗎？」莉莉敷衍地答道：

「我剛去找過了，那兒沒她的人影子。」

「我們再找找看，也許她躲到禮堂裡去了？」

「不用了，我都找過了。」史太太略顯氣悶的說：

「她會到那裡去呢？真是急死人，時間也快到了。」莉莉焦急地說：

「她不會溜掉吧？莉莉！」史太太若有所悟地逼問道：

莉莉警覺地分辯道：「我想不會吧，一則沒一點跡象，昨兒還大談美國如何如何，二則她怎麼敢跟她爸爸媽媽開這種玩笑。」

「就因爲她那後娘打的她太多，我真躭心。」史太太似乎不再對莉莉表示懷疑，將心思說了出來。

莉莉裝出一付焦慮不安的樣子，探詢地道：「要是……乾媽，怎麼辦？」

「哼！你乾媽是什麼人，還會栽在一個黃毛丫頭手裡。」說着把手向前一指道：「喏！那就是你乾媽準備的替身。」說罷，似有意似無意地橫了莉莉一眼，那意思是說，別以爲我不知道，這齣尿遁的戲，你莉丫頭也有一份。

莉莉對史太太的眼神，視若罔聞，倒是証實了自己的預感，爲那年青少女難過起來。

吳局長夫人見到史太太，焦慮地問道：「史太太，人呢？」

史太太胸有成竹地答道：「夫人，您先別急，讓我看一樣東西。」說罷，從莉莉手上接過靜靜留下的白色手提袋，打開一瞧，裡面除了一張叠得整整齊齊的信箋，任什麼都沒有。史太太抑着怒氣抽出來遞給莉莉，說道：

「你唸給夫人聽罷。」

「我不是你們想象中的第二十五孝，我已把户口遷了出去，因此，你們已不再是我的監護人，我不會爲你們充當這個婚姻的主角，這一切既是你們的安排，也應由你們自己去結束。」信上沒有上下款，顯然是靜靜的口氣。

莉莉唸罷，吳局長夫人便大嚷了起來：

「安副處長！這是什麼話，你們開的什麼玩笑？」

這時候的安氏夫婦，尙被矇在鼓裡，聞言趕緊擠身過來問道：「什麼事？夫人。」

吳局長夫人虎地一聲，從莉莉手上奪過信箋，遞了過去，怒道：「看看你們孝順女兒幹得好事，你們丟得起人，我姓吳的可丟不起這個人，哼！這算什麼話？」

安先生脹紅着臉，尷尬地接過信箋，一看之下，不覺氣往上衝，他一反常態地轉身對安太太吼道：「誰讓靜丫頭把户口遷出去的？」

「她不是要辦出國嗎？」安太太摸不着頭腦地答道：

「辦她娘的鳥蛋，你給我看看？」安先生從不罵人，今天突然罵出這麼一句穢話，甚覺不大順口。他憤憤地將信箋遞向安太太，忽然想起安太太不認識字，便更加腦怒道：「她跑了。」

「跑了！放你娘的屁，她敢。」安太太盛怒之下，習慣性地揚起右手，一掌摑出，拍的一聲脆響，正拍在安先生的臉上。整個敞廳內的人，都被那聲脆響震住，鬧哄哄的人聲突然靜止，眞可謂鴉雀無聲。大家不約而同地在找那聲脆響的來源，安太太和安先生像被點了穴道般，定在那裡一動也不動，兩個人儘用那噴火的眼光對望着。

吳局長夫人見狀，祇冷笑着披了披嘴皮。吳局長則嚴峻地冷哼一聲，吳家少爺也停止了他的巔躓，憒憒然地注視着這眼前的一切。

莉莉的手心已沁出了汗水，她的兩條腿不由自主地微微感到顫慄，但她的心情，卻感到無比的舒暢，打心眼兒裡由衷地佩服靜靜的膽氣和勇氣。

史太太機警地將吳夫人扯到一邊，免強地諂笑道：「夫人，不是我說喪氣話，這安家的女兒不要也罷，那丫頭貌似文靜，實際是一肚子的鬼主意，我為安全起見，早把您挑選的第二人選帶了來。」說着，把手一指，正是莉莉先前見到的兩個身影。

吳局長夫人原本就無可無不可，心想，兩個之中，論人品無分軒輊，祇在那第二人選的父親，職位過低罷了，現在看來，家貧出孝女，還真是失之東隅，收之桑榆，未嘗不是寶兒的福份。這一錯，反倒是錯對了，這姓史的女人，算得上是機伶乖巧的了。想到這兒，吳局長夫人臉色稍霽，祇因心中的餘怒猶存，便嚴厲地問道：「史太太，這第二……」

不待吳局長夫人說完，史太太搶着保証道：「夫人，您放一百二十個心，這第二人選我敢擔保，絕不會有問題。」

吳局長夫人嚴肅地點點頭，表示同意，同時，把這意見和決定向丈夫及兒子說出。吳局長雖還倖倖然不爽，但不能不為兒子的大局着想，勉強的答應了。

吳家少爺的臉色灰白，他的原意雖祇是回台灣娶個漂亮女人作太太，未料女方這樣不給他面子，這使得他的自尊心和併發症自卑感，倍受戳刺。他的心胸間充滿了受傷的忿恨，當他聽到那少女願作替身時，一股仇視的報復意識，直衝腦門。他敵意地向那少女睥睨一眼，美麗的面容，苗條的身材，充滿着異性的魅力。吳家少爺冷起男性本能的衝動，一種由仇視到報復的性的衝動，他亟於要捕捉住她，便一疊連聲地催道：「快！快！快！」

史太太攬着那個清麗苗條的少女，走到吳家少爺的身前，並把女郎的手臂挽到吳家少爺的臂彎裡。莉莉凝目望去，看到一瞥熟習的目光，是那樣地暗然無助，心胸間不自覺地起着急劇的波動，有點頭重脚輕地旋轉着。她下意識地將手上拎着的白色手提袋，塞到少女的手中，並避開她眼光中的哀傷求助，腦中突然閃過小時侯，接力賽跑時交棒的情景。她長長地吁出一口大氣，眼睛濕涤涤的一片模糊，便什麼也看不見了。

我結婚了

一九七三年紐約市上城

陸紀行坐在靠窗的機艙坐位上，正府身從楕圖形的小玻璃窗向外眺望，祇見窗外是一望無垠的雲海，翻翻滾滾，氣勢極是洶湧澎湃。飛機在雲層上滑行，常常受到氣流的壓迫，沉浮不定。亦如陸紀行的一顆心，此時此際，也是飄浮浮的沒個著落處。他想到自己拋妻別子，離開他堅持了十幾年的工作崗位，飛往許多人夢寐以求的美國，是否是一個正確的選擇，他實在沒有能力說服自己，丟掉耽心而興奮起來。

他清楚記得賈真那年回台灣結婚，正趕上雙十國慶，新娘不用說，是如花枝一般美麗，親友們的奉承，報紙雜誌長篇累牘的報導，外帶僑委會在觀光飯店招待住宿，那真是極盡人生虛榮的享受。國慶那天，他自己起了個絕早，還祇能擠在人叢裏，遠遠地站在台灣銀行的台階上，在武裝憲兵警察的監視下，墊起腳跟瞭望。而賈真夫婦，卻被安排在總統府前的閱兵台上，陪同總統一起閱兵。他那時候也曾羨慕過，後悔過，當他找到自己的終身伴侶後，那份驟起的虛榮，也就忘得一乾二淨了，這時候想起來反有點悵然若失。

陸紀行大學畢業後，堅持不出國主義，留在國內的中學教書，一眨眼便是十年過去了。他倒也心安理得，學校方面，原也沒什麼可耽心的，不幸去年換了個校長，陸紀行因爲沒有出份子，參加新校長母親大人的生日派對，當秋季開學時，他被解了聘。失業，對處身於那個人浮於事的社會的人而言，不啻是個晴天霹靂。陸紀行在走投無路的情況下，才逼得寫了封信，給他的已是美國公民的同班同學萬壽山。萬壽山倒是很夠意思，不但很快爲他找到了研究所的獎學金，還給他寄了路費，在老同學的盛情之下，事實上他已無可選擇，便登上了赴美國的飛機。

飛機準時抵達紐約甘乃迪機場，他還沒有走出過道，便看見瘦高的萬壽山，站在人群中向他招手。人著了地，陸紀行的心也好像踏了實，他朝萬壽山的方向緊趕了過去，兩人默默地緊緊地握着手，千言萬語，十年的話都在這一握之中。萬壽山一聲不響，搶過陸紀行手上的行李，擰頭就向外走，直奔停車場。

在車上陸紀行略談了一談自己的近況，便迫不及待地打聽賈真的消息，關切的問道：「老賈到底怎麼樣了？幾年沒有他的消息，你也吱吱唔唔的不肯說實話。」「你到家就會知道的，急什麼？多少年都過去了。」萬壽山冷冷地說。

陸紀行聽到萬壽山的話，心裏面老大不是味道，覺得眼前的這個人，不像是自己一向認識的，熱情洋溢的，口若懸河的萬壽山，人說美國會把人變成冷血動物，萬壽山真的也變了嗎？

萬壽山住的是一間老舊公寓，進門便是過道，三房一廳廚房廁所成一字形排列，萬壽山開了三道鎖，才把門打開。陸紀行隨在萬壽山身後跨進門來，見到客廳裡有個人面窗坐著，他祇道是萬壽山的朋友，沒想到當那個人回過身來時，他不禁大吃一驚，原來那人竟是他念念不忘的賈真。祇見他慘白瘦削的臉，沒一絲人色，眼珠深陷，似兩粒小黑豆，嵌在那似睜似閉的眼眶內，背光時，他的眼睛活像是兩個小窟窿。他見有生人進來，便微笑著打了個招呼，「喂！我結婚了哩，我們是在台灣結的婚，她來了，在芝加哥，她來了——。」聲音漸漸地低下去，低到沒有人聽到，他嘴裡還在唸唸有辭。再轉過身去兩手攀住窗櫺，靜靜地眺盼著星夜的長空，也許那蒼穹碧空裡，還留著他的夢與回想吧？陸紀行忽然感到一陣冷肅與悽愴，他幾乎不敢面對這個千思萬念的至朋好友。

客廳裡的萬壽山與陸紀行，不約而同地相互望了一眼，不待陸紀行開口發問，萬壽山打了個手勢，叫陸紀行在客廳的沙發上坐下。同時，自己也坐到陸紀行的對面，然後平靜地說道：「現在，我可以把他的故事告訴你了。」

「你不怕他聽到難過？」陸紀行指指賈真的背影說。

「他已經不懂得別人的語言，他祇會那樣坐著，說他說過的話，如果我不拖他去睡覺，他就會坐一個通宵，連頭都不回一下。」

「他到底受了什麼刺激？會變成這個樣子。」

「他的遭遇是個悲劇，而我們處身的這個時代，又何嘗不是一個更大的悲劇，也可以說他的悲劇，與我們處身的這個時代是分不開的。台灣地方小，年青人沒有出路，加之政治氣氛緊張肅剎，有辦法的人都往外跑，我這麼說，你該不會反對吧？」萬壽山說到這兒，忽然打住話頭，兩眼逼視著陸紀行，叫他表示意見。

陸紀行表示同意地點點頭。

「年青人往外拓荒，這正符合了老年人的利益，老年人爲了保護他們自身的利益，也就不惜用盡各種方法，來鼓勵，或者更恰當點說，蓄意來推動這個運動，於是有報紙雜誌的推波逐浪，乃造成社會上的出國熱出國潮。此外，這個出國運動的骨子裡面，還隱藏著一個不爲人知的陰謀，即一方面把有能力的年青人趕出去，一方面借此壓制無能力出國的年青人。這樣，人人以出國爲目標，社會也以出國爲標準，爭相效尤，我當年的出國，何嘗不是受到這個社會運動的支配。所以說，賈真的遭遇並不能完全責怪他的太太，真正要負責任的，是我們那個被洋化了的社會風氣。如果社會和國家，不把出國看得那麼寶貴的話，又何至於使得一些缺乏出國能力的人，不擇手段的往外跑。」

「這與他的故事有關係嗎？」陸紀行下意識地指指賈真。

「當然，不相干我說它幹什麼。」

「你爲什麼不早告訴我呢？」陸紀行埋怨地說。

「告訴你又有什麼用，白增加你的難過而已。」

「至少，唉！」陸紀行攤開手，無可奈何地嘆著氣。

「他拿到博士學位，準備回台灣結婚那年，我曾問他與對方認識多久了？他說才通了兩個月的信，我認爲他們的婚姻基礎太脆弱，勸他再交往一段時間。他不以爲然，還說是對方等不及，催他趕快結婚，並在信中自稱是他的『小妻子』，你想，這樣的女孩子，不是大膽的太離譜了嗎？」

「我請他們倆吃過一次飯，從外表看，他太太的人品——？好像她的家世也蠻好的。」

「哼！」萬壽山冷笑著譏諷道「依我看那全都是一堆鬼話，什麼家世地位，男盜女娼，爲達目的，不擇手段。」

「你怎麼變得這麼偏激了？」

「紀行，不是我偏激，而是事實勝於雄辯，這種例子我見的太多了。就拿賈真來說吧，他回台灣結婚你是知道的，他在美國有工作，必須在假期內趕回來。幾個月後，他的太太也來了，卻不肯跟他住在一起，賈真在機場就撲了個空，事後她從她同學家打電話來，才知道她已經安全到達紐約。」

「這就不對了，夫妻有同居的義務嘛。」陸紀行批評地說。

「最妙的是，她跟賈真第一次見面，竟然約在紐約市的中央公園，她說她們的婚姻沒有經過戀愛的過程，這樣子的感情，基礎不夠穩固，要求賈真補談戀愛，賈真沒奈何，祇得依她。就這樣三天兩頭的見不上一面，有時候好不容易等到她，三言兩語不合，還會向賈真大發一頓脾氣。我看賈真過的很苦，常常拿話來勸他，要他算了，祇當是嫖了一次窯子，他不死心，還硬往裡闖。不到兩個月，他那位太太突然失蹤了，對賈真來說是突然，但對她自己來說，則應該是預謀。因爲幾年後我在朋友的家庭聚會中，遇到他太太的那位紐約同學，据她說，賈真太太來紐約，純係等待她的那張社會安全卡，否則她便直飛芝加哥了。」

「人性變得這麼醜惡，是不是太可怕了，爲了一張綠卡，人格尊嚴全都可以不顧，這世界到底怎麼啦？」陸紀行義憤填膺地說。

「今天的台灣，美國綠卡的確比人格尊嚴重要得多。」

「你這麼說我現在就回去，我可不是來拿綠卡的。」

「你跟誰嘔氣呀！要回去也等拿到學位再走，到時候我決不留你。」萬壽山還真怕陸紀行說走就走，他是深知此公脾氣的。

「你簡直把台灣的人看扁了。」

「像你老兄這種異類不是沒有，祇是稀貴得很，我們把話扯遠了，言歸正傳。她這一走，賈真像失魂落魄似的，每天公司下班後，便跑到他倆去過的地方，瞎闖瞎等，找他那位失蹤的太太，不到夜深人靜，決不回家。半年下來，人瘦了，精神頹廢得像個死人，辦公室裡常常出錯，老闆先是同情，到了實在忍無可忍才把他老兄請出門。」

「唉！這是怎麼啦？怎麼偏偏讓個老實人碰上，以後呢？」

「我無意中得到他太太的下落，兩人連夜開車去芝加哥，找到了那個地址，剛踏上台階，正巧從裡面出來一個男人，他見到我們先是一愣，事後才想到那應該是一驚。那個狡猾的傢伙，馬上堆起笑臉，問我們有沒有需要他幫忙的事，賈真也真老實，脫口就把來意告訴那傢伙。他皺起眉頭想了半天，然後裝出若有所悟的啊了一聲，裝腔作勢地說道：「前幾天王某某家開派對，好像有這麼一位太太來過，據說她先生是一位博士，但是，她不是住在這裡。」然後他很熱心的給了我們一個地址，還開車給我們領路，害我們來回又開了三個多小時，等我們再回到原來的地方，他們已經逃之夭夭了。」

「這簡直就是騙婚嘛。」

「還有比這個更嘔人的哩！賈真在那一瞬間，突然昏倒在車上，我把他送到醫院，折騰了一個晚上，待他醒來之後，人就變成了這個樣子。」

「哼！真他媽的——。」陸紀行再也憋不住，順口罵了一句，也說不上別的，儘拿兩隻手掌搓著自己的褲腳管。

「故事還沒完哩！當我把賈真送回他住處時，你猜，他家裡發生了什麼事？」

「她太太回來了。」

「狗屁，他家裡被偷了，怪就怪在門窗都鎖得好好的，但屋子裡的東西，被翻得亂七八糟，賈真為接他太太來，新買的彩色電視機，錄音機，唱機，還有他太太寫給他的情書，剩下的零錢，全都被偷得一乾二淨。」

「不會是他太太吧？」

「警察是這麼判斷的。」

「爲什麼肯定會是她呢？」

「大慨是爲了取回她寫給賈真的信吧。」

「那也犯不著搬東西呀！」

「也許是順手牽羊。」

「她有賈真的房門鎖匙？」

「賈真希望有一天，他太太會自動回來，所以給了她一串。」

「這——這到底算什麼？」

兩個人同時沉默下來，空氣變得死一般沉寂，陸紀行直感到自己的皮膚在發脹，好像有千萬條筋要爆裂似的，他忽然想到了什麼，抬起頭來問萬壽山：「你呢？這幾年——？」

「你不都看到了嗎。」

「還沒結婚？」

「——」

「爲什麼不——？」陸紀行似乎觸到了什麼，突然刹住下面的話。

「像賈真一樣回台灣嗎？」

聽到台灣兩個字，久久注視著晴夜長空的賈真，回過頭說道：「她來了，在芝加哥，我結婚了。」

DAD與爸爸之間

一九七五年

醫院裏傳聞著一件驚動社會輿論的醜事，一個外科醫生強姦了他的十四歲女病人。病人來自一個高貴的白人家庭，醫生來自亞洲的菲律賓，兩者在膚色上，與種族上的強烈對比，使事件的嚴重性更為激化。影響所及，使附近的其他亞裔居民，都受到了不同程度的騷擾。院方的董事會，也為此召開了緊急會議，並作成一項永久性的決議，即該院永不聘雇亞裔籍醫生，現職人員，也須在一定期間內解聘。

晚餐桌上，愛德華、魏把這消息娓娓地告訴他的太太仙蒂、秦。秦是個溫厚的典型中國婦女，她聽到丈夫的敘述，耽心地問道：

「你不會有事吧？」

「我！他們憑什麼？我早已是美國公民。」

「那麼，王大夫呢？」

「他嗎！誰叫他不聽我的話，堅持做中國人有什麼好處，別說我們現在是住在美國，就是住在台灣，做美國人也比做中國人好。」

秦似乎有點生氣，但還是細聲細氣的反駁道：

「你做了美國公民又怎麼樣？」

「哎！你忘了，那年我們回台灣，在松山機場，那個海關傢伙，左也刁難你，右也刁難你，要不是我那張美國護照，他會那麼客氣讓你過關，看你有多少東西要被扣下來？」

「好了！好了！我們不再談台灣了。」

秦最怕他丈夫臭台灣，因爲自已的老父老母還都住在那兒，她唯恐給他們招惹麻煩。秦嘴裏雖那麼說，腦子裏卻不由自主地想起了那次不愉快的旅行。她們全家是因爲愛德華、魏在美國取得了永久居留權，然後才移居美國。當愛德華、魏歸化爲美國公民後的一個月，他同時也獲得醫院的假期，便率領全家回台灣省親。愛德華、魏的親人不在台灣，回台灣省親自然是探望秦的父母。她爲了討好老人家歡心，特地要求丈夫繞道香港，採購了一些老人家多年來吃不到的大陸土產，不想，就爲了這些東西，連帶她在美國買的幾塊衣科，都遭到松山機場海關的留難。那個關員左一聲匪貨，右一聲私貨，直把秦氣得粉臉發白。愛德華、魏一邊兒站著，不但不聲不吭，還不聞不問，秦幾次向他投過求救的眼光，他祇當沒看見，盡讓那傢伙刁難個夠，也把秦氣了個夠，他才把它的美國護照亮出來。說也真靈，那傢伙一見到愛德華、魏的美國護照，他的態度馬上有了一百八十度的轉變，抹去蠻橫，換上謙遜的笑臉，還諂媚地埋怨道：「您怎麼不早說您是美國公民」。秦想到這兒，也許是有點難為情吧，只見她臉上徒地映著紅暈，訕訕地借故溜到浴室去了。

儘管醫院裡攪得風聲鶴淚，愛德華、魏還是篤定地照常上他的班，內科大夫傑米、王被解聘那天，他還特地跑去王家安慰了一番，因爲王太太不懂英文，愛德華少了一個聽眾，覺得沒趣，衹稍坐了一會兒，就告辭回家了。這天，他亦如往日般，將兩手插在褲口袋裡，邁著輕鬆的腳步，踏上通往病房的台階，突然擴音器裡，響起呼叫愛德華、魏的尖銳聲音，他不耐煩地停一下腳步，便又不經意地想往前走，就在他剛一起步的同時，擴音器裡的呼叫聲像連珠炮般迸了出來，要求愛德華、魏立即去見院長。他滿不在乎地折轉身，朝院長辦公室走去，一路上，碰見同事和病人時，照往昔般禮貌地與人招呼，微笑，做一個伸士應該做的，最後，他坐到了院長的對面。

院長是一個花白鬍鬚的老年紳士，戴著黑色寬邊眼鏡，額上鐫刻著歲月搓磨的痕跡，嘴角永遠掛著一抹親切的微笑，即令在他生氣時，那微笑仍舊留著淡淡的影子，透著嘲弄的意味，他的談吐不急不徐，是很標準的美國型紳士。愛德華一向尊敬他，並以他作爲自己修養的標準，和他那種人相處，愛德華覺得是一種驕傲與享受。他常常從這個老年人身上，回憶起他在台灣時的老師和上司，他和那些人相處時，他永遠覺得自己是低能的，無知的，因爲，他的意見從來都不被接受，他祇能順從地接受指揮和訓斥。他恭謹地坐到院長身前之後，意外地發現，院長嘴角上的笑容，突然消失不見了，代之以一副冷肅的表情，這給了他有事情要發生的感覺。這不是自己與院長相處的常態，但他不相信院方有權解聘他，他早已是美國公民，不是他們要解聘的那種外籍醫師，這給了他很大的信心和勇氣，以挑戰的眼光投向院長，並輕輕地向院長道了聲「早安」。

「我不得不請你到我這兒來談一會。」

「沒關係，院長有事要我效勞嗎？」愛德華小心地問道。

「是的，迷死脫魏，你知道的，最近醫院裡發生了一件極其醜惡不幸的事。」

「你指的是那個菲律賓醫生強姦女童的事嗎？」他強調地說。

「是的。」

「原來是這件事，那真是不幸得很。」愛德華同情地說。

「這件事使得本區的居民都非常憤怒。」

「是的，這是可以理解的。」

「更不幸的是，很多人受到了連累。」

「那真是他們的不幸。」

「我雖然知道那很不公平，但我幫不上忙，你知道，那是董事會的決定。」

「當然，我知道你不會那麼做的。」

「你能諒解我的決定，我非常感激。」院長奉承地說。

「那裡，我不過是從客觀來評斷罷了。」愛德華竊喜地謙虛著。

「這樣最好不過了，你看到了這個客觀事實的要求，那麼，你對院方的決定，一定不會像旁人一樣地反對了。」院長提高了聲量說。

「什麼樣的決定呢？先生，我看不出，在這事件上，院方會有何決定，是關係到我個人的。」愛德華有點不安地說。

「他們將你也解聘了。」院長細聲地說，好像是生怕愛德華、魏聽到似的。

「什麼？你說他們也把我解聘了。」愛德華、魏像被彈簧彈起般倏地站直身子，兩手掌到院長的桌沿上，第一次，他用這種態度，俯下上身，向院長發出質問。

「是的，這就是我請你來談論的目的。」院長解釋地說。

「這簡直是瘋狂，難道他們不知道我早已入了美國籍，難道你不應該告訴他們，我早已是一個美國公民。」愛德華、魏大聲地叫讓起來。

「迷死脫魏，你需要冷靜。是的，我們都知道你已歸化為美國公民，但從我們的觀點來看，尤其是從這次的不幸事件來看，你仍然是一個中國人。」

「放庇！」愛德華、魏情急之下，先罵出一句中國話，緊接著他便用英文說道；「瘋狂！這簡直是歧視和不公平，我要去民權委員會申訴。」他幾乎是歇斯底里地癱倒椅子上。

「迷死脫魏，我很抱歉，不能讓你了解我們的立場，你需要休息，我看，你還是先回家去吧。」說罷他把眼光直投到愛德華、魏的臉上，那意思就是下逐客令了。

愛德華、魏憤怒地開著快車，他打開窗門，讓風吹到自己的臉上，漸漸地，他的思潮從美國的高速公路上，回到台灣當實習醫師時的醫院裡，那時候，他不過是個剛從醫學院畢業出來的住院醫師，他每天工作到深夜一兩點，雖然辛苦，卻很有幹勁。開始時他被派在外科病房，負責病人的一般檢查和觀察，常常聽到普通病房的病人，埋怨醫院的服務不好，醫生和護士都嫌貧愛富。後來又被派到急診病房，幫助搶救急症病人或意外受傷的病人，但事實上，急診病房並非是一視同仁的大慈大悲，治療的優先順序往往是以繳納保証金的先後爲準，不以病人的病情爲依歸。對病患者的生死，不知道是不是因爲見的多了，產生見怪不怪的心理，還是因爲環境的冷漠，也影響到人的冷漠。愛德華、魏曾爲此義憤過，也有過不遵規定，擅自爲須要急時搶救的患者做搶救，未料到的是，搶回了患者的生命，同時也給自己搶到了麻煩。

影響愛德華、魏最深，和改變他最大的一件事，是他們的科主任與主治醫師之間的一場鬥爭。科主任是由日據時代遺留下來的老醫生，因年資與經歷遞升爲主任，人的年紀大了，手腳自然失去靈活，儘管工作經驗豐富，畢竟不能動刀做主要的手術工作，故凡大手術或重要的手術，便都落到從美國實習回去的江主治大夫身上。江醫師年青氣盛，且仗持自己留過美，常常在工作上與科主任發生不愉快的爭執，每次也都是科主任自動退讓。直到有一天爲了兩個病人手術的次序問題，科主任與江主治大夫各持己見，江主治大夫見科主任沒有退讓的意思，一狀告到院長跟前，院長不但未支持一科之主的科主任，反把他訓斥一頓。更讓愛德華、魏吃驚的，是院長訓斥科主任的理由，江主治大夫留過美，懂得多，他最能知道誰應優先，誰應挪後。

這事件對愛德華、魏來說，既是刺激，也是激勵，他感受到的，是人的社會價值，它不在人的本身，而在於包裝材料。科主任作爲一個醫生，他的醫術與醫德，都令同仁們景仰心服，唯獨缺少一張外國醫學院的畢業或修業証書，他的社會價值便暗然失色。故學醫還祇能是爭得社會價值的第一道階梯，出國留學是第二道階梯。放眼當今的台灣社會，各行各業中，凡出類拔萃的，那一個不是留過學，喝過洋水的，留學生中又以留美的最受重視與重用，那麼，除了這兩道，還有沒有第三道呢？他想不出，至少他目前還來不及去想它。

從那會兒開始，愛德華、魏榷定了留美這個目標，這個目標雖是他在求學時代，就和其它的同學一樣榷定了的，但從沒有這麼堅定過，至此，已是鐵案如山，永不更改的了。不久他遇到另一件事，又促使他做了比留美更進一步的決定，他親眼看到一位青年女教師，被指思想有問題，一連串的跟蹤，迫害，逼得她蒼促間嫁給她的美籍學生，做了她的護身符，將她帶去美國，總算脫了虎口，爭得了人身的自由與安全。這故事啓發了愛德華、魏，單是留美還不夠，還得變成美國人，才有安全保障。

這以後，練習英文口語已成爲愛德華的日常功課，婚後，他又規定自己的太太秦，家常交談要以英語爲主，經過無數次的爭執、解釋和衝突，最惡劣時，兩人幾乎鬧到要離婚，終於在愛德華的懇求和說服下，秦做了妥協。愛德華的努力，對他自己而言，並不順利，而且是困難重重，他的發音不準，缺乏與人實習對話的機會與環境，錄音帶與收音機必竟都是些死的語言，活用時全派不上用場。他唯一能找到的實習場地，是台北市錦州街的酒吧，與美國大兵們聊天，他那裏知道這些大兵們說的美國英語，既夾雜著許多方言，還有穢言，這都是書本上讀不到看不到的。更令他心恢意冷的是，平日背得滾瓜爛熟的句子，到了與人面對面交談時，全不知道跑到那兒去了，多少次，他恢心得想放棄這個計劃，然而，每當他回到醫院，他又會重新燃起希望，鼓起勇氣，再次下定決心，就這麼週而復始地希望努力挫折，挫折希望再努力，他終於成功地掌握了美國英語的口語能力，在他考取美國醫師執照之前。

如果說，每一個人都有一個人生的頂峰，那出國前的一段時間，可算是愛德華、魏的頂峰了。他看到多少對嫉羨的眼光，投到自己的身上，有滿懷敵意的，也有滿懷善意的，他滿足於別人的敵視，也感激別人的善視。愛德華、魏考取美國醫師執照，並取得一所美國醫院聘書的消息，已傳遍了醫院每一個角落，當他從美國駐台北領事館獲准赴美簽証出來，他腦際突然靈光一閃，他似乎看到了自己人生的第三道階梯－－美國公民。

做了美國醫院的醫生之後，愛德華、魏的改變就更大了。首先是將中文名字改爲英文，其次是飲食和生活習慣。像起床之後立即進浴室洗澡，進餐時同時喝冰水，他不但要把自己改造成百分之百的美國人，還強迫秦與他同嗜同好，這樣做，他認爲自己已獲得美國同胞的完全認同。不料，那狗x的菲律賓醫生不幹好事，害人害己不算，還給自己帶來這樣不公平的待遇和恥辱，這叫他如何忍得下這口惡氣。因此，他把汽車的速度放盡，任它在高速公路上飛馳，直到交通警察的警鈴把他攔下來，開給他一張超速開車的罰單，他才從憤怒中冷靜下來，他對自己說：「回家吧。」又罵了一句「狗 x 的」。才再次發動引擎，駛上回家的路。

愛德華、魏正從幹線轉上支線，左側邊忽然擠過來一輛敞篷跑車，企圖擠過他的車頭，愛德華瞥眼見隔車上開車的是個白人，也不問其人是否認識，他左手握拳伸了出去，突出中指朝人家一陣比劃，口中還大聲地罵道：「幹你娘。」然後將車頭一閃，飛也似地開走了。

快感中夾雜著酸楚，幾滴淚水滾落到臉頰上，他下意識地伸手拭了拭，手掌上竟是一片濕淥，胸際間總覺得多了點什麼？一種從未有過的悲哀，突然湧上心頭，他真想找個沒人的地方痛哭一場。

不管愛德華如何美國化，口語從不使用中文，但是，他的心語與思考語言，永遠是中文的。對此，他曾經恨過自己，也痛下過決心，終於以失敗收場。就像眼下的愛德華，事後連他自己都覺得奇怪，爲什麼今天老是用中文罵人。

愛德華的車子像是飛進自己家的，把正在前院剪草的小兒子嚇了一跳，秦也從窗口看到愛德華的失常舉動，趕緊推門跑出來迎向愛德華，他已繞過草地走上通門的小徑，小兒子愛德華、魏二世放下剪草機，趕過來叫「Dad」，秦的一聲「Honey」還沒來得及叫出口，便被愛德華、魏的一聲斷喝給嚇回去了。祇見愛德華、魏惡狠狠地沖著小兒子愛德華、魏二世厲聲斥道：「以後不准再叫我 Dad，叫爸爸。」說罷還惡狠狠地瞪了秦一眼，一頭衝進屋裹去了，留下秦和小兒子的茫然目光。

阿嬌的困惑

一九七五年

阿嬌夫婦在紐約市最熱鬧，人流量最大，但卻是最不安全的地區之一，開了一家小小的禮品店。這個區域說得上是龍蛇混雜，什麼樣的人都有，什麼樣的事都會發生，什麼時候都有可能出狀況，但也是什麼樣的貨物都可以賺錢的地方。有膽的人都跑到這兒來冒險，阿嬌與阿春夫婦就是這眾多冒險家中的一對。

阿嬌他們不是專業性地經營某種產品，而是什麼暢銷便賣什麼，貨品的流動性大，品種的更迭性高，乃這個特殊商業地區的特殊商業規律。深諳此經營之道的阿嬌夫婦，已成爲這個地區的熟手練家子。時季正當假髮與帽子流行，也正是阿嬌店中的主要商品。這天適逢星期六週末，也是一週中營業的尖峰日子，人叢中忽然出現一位衣著整齊的黑表哥，阿春正擬迎上去招乎，無如來人的動作非常從容迅捷，從貨架上取下一頂假髮，轉身出門揚長而去。阿春雖在這個區域混了幾年，這種經驗還真是出娘胎第一遭，開始時還真有些驚愕，但迅即反應過來，找上附近的巡邏警察，向之投訴。

「警察先生，前面那人偷了我的一頂假髮。」

「你要告他嗎？」

「是的。」

「我可以爲你開告票告他盜竊，但開庭時，你必須出庭作証。」

阿春遲疑了

「我得想一想？」

「你決定了，再告訴我。」

阿春躊躇著踅回店中。

「人抓到沒有？」

「——」

「我問你，人抓到沒有？」

「啊！你說什麼？」

「我說警察把小偷怎麼樣了？」

「警察？啊！警察說：要開告票。」

「什麼告票？」

「就是控告小偷盜竊的告發票。」

「告票呢？」

「告什麼告，告到法庭，自己還要出庭作証。」

「出庭就出庭，怕什麼。」

「阿嬌，打官司是要花錢的，你知道嗎？」

「誰叫你打官司了，叫警察抓住他，把東西拿回來就好了。」

「你說的簡單，警察要是抓住他，接著就要開告票，我們就得上法庭作証。即使不請律師，也得賠上時間，開一次庭，關一天店，損失了生易不說，還得賠上房租，如果一趟不夠，那就更慘了，你想想，值得嗎？」

「照你說，我們就白丟了。」

「不丟又能怎麼樣，就是把他告倒了，我們也得賠上幾十倍的代價。」

「真是氣死人，——」

忽聽電話鈴響，阿嬌一把抓起話筒。

「哈囉——，啊——對不起，我有點感冒，所以講話不對勁，什麼——生氣，不是啦，要生氣也不能生你的氣呀。——什麼！真的，那我們馬上回來。好！謝謝。」

阿嬌放下電話，一疊連聲催促阿春關店回家。弄得阿春一頭霧水，迫不及待地問道：

「出了什麼事，這麼急？」

「還不是你那個寶貝女兒幹的好事。」

「蓉蓉，她怎麼啦？」

「她把登登關在門外，被鄰居看到，告到兒童保護會，現在人家等著跟我們談話，真是一波未平，一波又起，今天算是碰到鬼了，都是你寵出來的啦。」

「你也別著急，也許人家祇是例行公事。」

「我倒不是怕什麼兒童保護會的人，天塌下來，我總是他們的媽，我是氣不過自已生了個不爭氣的女兒，才會惹出這些痲煩來。」

「蓉蓉還小，大了就好了。」

「還小還小！你就祇知道寵，都十歲了，什麼都不懂，也什麼都不管，祇會玩，會哭。」

「你十歲的時候都做些什麼呢？」

「哼！別以爲你寵她，我就管不了，這一次，我決饒不了她，你看我怎麼收拾她吧。」

「你少亂來，動不動就拿女兒出氣，這算什麼？」

「我算什麼？我是她媽。」

「時代不同了，別說你今天是在美國，就是在台灣，你也不能亂來。」

「在美國又怎麼啦？我不是她媽啦？我就不信，美國能把我怎麼樣？」

「好了，我不跟你爭，你永遠是正確的，夠了吧。」

阿春不再則聲，阿嬌卻憋著一肚皮氣。

二

阿春夫婦有三個孩子，大女兒蓉蓉才十歲，大兒子壯壯八歲，都是隨同父母從台灣來的新移民，祇有兩歲半的小兒子登登出生在美國。這天適逢週末星期六，阿嬌為了省錢，不願僱保姆，將三個孩子留在家，命大女兒蓉蓉照管。蓉蓉閒著沒事，帶著兩個弟弟捉迷藏，玩得很開心，從公寓內追到公寓外，又從外追回公寓內。偏又輪到小登登做尋家，年小身矮的小登登夠不到公寓門的把手，打不開公寓的門。開始時祇顧叫喊，無奈兩個大的又都藏了起來，根本聽不到小登登的叫聲，叫著叫著小登登哭了起來。被西人鄰居們看到，打電話通知兒童保護會的人，所幸事情還算湊巧，當兒童保護會的人到達現場時，正好三樓的何太太從市場採購回來，碰上這擋子事，便攬住登登向保護會的人解釋，登登的父母因事外出，請他們改日再來。保護會的人與何太太商議後，決定星期一再來與登登的父母見面。

原來蓉蓉和壯壯兩人，進房後便匆匆藏好身子，淨等著小登登來尋捉他們。等了好一陣子，總不見小登登進來，蓉蓉正在納悶，壯壯已忍不住踱出來看究竟，聽到門外有人說話，便叫出大姐蓉蓉：「叫什麼叫，你不想玩了？」

「大姐，你聽，門外有人說話，還有外國人。」

「外國人說話關你什麼事?——」

適在這時候何太太在門外敲門:「都是你啦!」蓉蓉賭氣去開門。

「蓉蓉快開門,我是何媽媽。」

蓉蓉聽出是三樓何媽媽的聲音,忙把門打開,還狠狠地瞪了壯壯一眼:「都是你」。

何太太一反常態,不似往日般安祥從容,見到蓉蓉劈頭便問:「你們爲什麼把登登關在門外,不讓他進來?」

「沒有呀,是他自已說好的,叫我們先躲進來,他再來抓我們,登登,是不是你自已講好了的。」

登登不敢則聲。

「你壞死了啦!」蓉蓉戳指著登登恨聲地說。

「好了,不用手了,把你媽媽的電話給我。」

「何阿姨,請你別告訴我媽,她會打我的。」

「不告訴你媽不行,你知道嗎?你們把登登關在門外,登登嚇哭了,被鄰居看見,告到兒童保護會,剛好被我碰上,他們原本今天就要來你們家,我沒答應,要他們星期一再來。」

「那也等我媽回來了再說呀!」

「不行,你們家這麼亂,兒童保護會的人看了不好,必須趁這兩天,把你們家整理一下。」

三

何太太把三姊弟安排到自已家裡，何家大女兒是蓉蓉同班同學，何先生是個執業的會計師，何太太與何先生大學同班，在一家大公司擔任會計。何太太獨個留下來等侯阿嬌夫婦，以便說明原委，好應付兒童保護會的人。

阿嬌進得門來，見不到三個孩子，先還有點耽心，見何太太在屋裡，便知有異，故意問道：

「小鬼們都到那裡去了？」

「我把他們安排到我們家裡去了。」

「那蓉蓉也在你們家裡了？」

「是的。」

「我去叫她。」

「幹什麼？」阿春已猜出阿嬌心意，還是禁不住下意識地問上一句。

「我非狠狠地揍她一頓不可。」

「你瘋了，這是什麼時候？還打孩子。」

「我爲什麼不能打她，她是我生的我養的，我連這一點點權利都沒有，我還是她的媽嗎？」說著便要開門去找蓉蓉。

阿春將阿嬌一把攔住，大聲阻止道：

「你給我坐下來，聽何太太說。何太太，對不起，阿嬌是個直性子。」

「不要緊，我知道，老鄰居啦！阿嬌，在美國，我們還真是沒權利打孩子，那是會吃官司的，你知道嗎？」

阿嬌比聽到毒蛇還要震驚，一屁股從沙發上站了起來，衝到何太太面前，指著自已的鼻子反問道：「我打自已的孩子會犯法？這是什麼法律呀？美國不是民主自由嗎？連孩子都不能打，這不是比我們台灣還要獨裁專制嗎？」

「這怎麼說呢？——」

阿春搶過話題「何太太，你別理她，你跟她講不清楚，請告訴我保護會的人怎麼說？」

「他們星期一來你府上，說是了解情況。」

「了解個什麼，我們又不販毒，又沒有私藏槍枝。」

「你跟何太太吼什麼！真是無理取鬧。」

「我那是跟何太太吼，我是不服氣，什麼鬼保護會的人，他們憑什麼，說來就來。」

「阿嬌，根據美國法律，我們不能把十二歲以下的孩子單獨留在家裡，如果這麼做，就是違反了法律，一旦被他們知道了，就有權檢舉我們。」

「這是什麼鬼法律，我們不把他們留在家裡怎麼辦，我們一家人要吃、要穿、還要住。」

「主要是爲了保護孩們的安全，像突然發生火災啦，或者有壞人來侵犯啦。」何太太解釋地向阿嬌說。

「這些事跟你說也說不清楚，你最好閉上嘴。何太太，謝謝你。我想，我們該開始工作了，能不能請你再幫個忙？」

「沒問題，就讓蓉蓉他們留在我家裡罷。」

「謝謝，請轉告何先生，真是對不起，太打攪你們了。」

「別客氣，誰教我們是鄰居，又都是從台灣來的呢。」

「你要幹什麼？我管不著，我可是要回店裡去做生意，一天的房租水電就上百塊錢。」阿嬌說走就走，起身準備出門。

阿春一個箭步，擋住阿嬌「你要是不想坐牢，這兩天乖乖的留在家裡，給我整理房子。」

四

星期一的早上，阿嬌家裡可以說得上是煥然一新，新鋪了地氈，新換了沙發，每張床上都鋪上乾淨的床單被褥，客廳和孩子們的房間裡，床上地上都擱滿了玩具，已經是萬事俱備，祇待兒童保護會的人蒞臨。

一般來說，兒童保護會的人，也不會雞蛋裡挑骨頭，他們的目的，不過是提醒父母們的注意，要求他們不要因爲工作，或其他的原因，疏忽了對孩子的保護。

兒童保護會的人，直等到孩子們放學回家才來，他們首先說明來意，目的在幫助阿嬌夫婦，澈底了解美國的兒童保護法。正如何太太所說，十二歲以下兒童，不得單獨留置家中，必須有適當的人照管。進行家庭成員訪問時，便涉及到父母子女間的關係了，當問到孩子們有沒有挨過打，打的痛不痛時，壯壯說了實話。阿嬌雖然聽不懂他們在交談什麼？但，當阿嬌看到阿春和蓉蓉臉上的表情時，也就猜出了七八分，她狠狠地瞪了蓉蓉一眼，唬的蓉蓉趕忙躲到一邊去。這些動作都瞞不過兒童保護會的人，更加証實了壯壯的答話。這些人都是家庭訪問專家，已意識到阿嬌的不懷好意，便將他們的意見，透過法律的解釋，要求阿嬌爾後不得對孩子施暴，並立即訂出連續訪問的日期。離去時，還一再叮囑孩子們，儘管說實話，別被嚇住。

「蓉蓉，你過來。」

阿春一聽，立刻擋在蓉蓉身前「你要幹什麼？你剛才幹的蠢事還不夠？」

「我有幹蠢事嗎？你說，我有蠢嗎？」

「你以爲你橫眉怒目的對蓉蓉瞪眼，別人看不懂是不是，這都是一群成了精的人，你翹一翹屁股，人家就知道你要放什麼屁。本來沒事了，就你那麼一瞪眼，又瞪出麻煩來了，他們每三個月要來一次，你知道嗎？」

「壞事都是我一個人幹的，不是這個死鬼女兒不聽話，會有這麼多麻煩嗎？花了錢不說，還惹一肚子的氣。」

「我懶得跟你爭，更懶得跟你吵，你再要惹事生非打孩子，打出紕漏來，你自已去坐牢。」

「坐牢就坐牢，不是說天下無不是的父母嗎？我就不相信，美國能把我怎麼樣，我管自已的女兒，還管出錯來了。」

阿春不理會阿嬌的怨懟，獨自去向何家夫婦致謝，說明結果。孩子們知道阿嬌正在氣頭上，都躲進自已房裡避風頭。

也許阿嬌是過度的疲勞，更或許是因爲從未受過打孩子會犯法的刺激，這反而引起阿嬌情緒反常。一天半的時間裡，請工人來舖設地毯，採購沙發，選購玩具，清洗更換床單被褥，也著實夠辛苦勞累的，更何況心裡面還擱著一份不安與憂心。一旦事成過去，本應鬆弛的心情，被阿春一頓搶白，等于火上澆油，令阿嬌更是憤怒難遏。她愈想愈氣，愈氣便愈是接捺不住，她順手拿起一根平日抓癢用的竹製不求人，衝進蓉蓉的房間，劈頭劈腦地給蓉蓉一頓狠揍，阿春及何太太聞聲趕來時，蓉蓉已被打得身上臂上都是血印。

阿春氣得傻住了，就好似武俠小說中描寫的，被人點了穴道一般，木瞪瞪地沒了知覺和反應。

蓉蓉撲倒何太太懷裡抽泣。

阿嬌也似個洩了氣的皮球，軟癱著倒在沙發裡，寂無聲息，眼淚卻大顆大顆地直向下淌。

五

這天天氣非常炎熱，許多年青女孩子，都祇著一件背心，蓉蓉爲怕引起老師的注意，特地穿上一件長袖襯衫，她的身量原比別人厚重，容易出汗，她的衣著與氣侯實在有點不相秤，老師也覺到了蓉蓉的行爲怪異，待到午餐後，便把蓉蓉找來個別談話：「蓉蓉，你不覺得今天很熱嗎？」

「熱！我不那麼覺得。」

「不覺得嗎？你的衣服都汗溼了，你爲什麼不把衣袖捲起來呢？」說罷便試著爲蓉蓉捲衣袖。

蓉蓉本能地往後退出兩步「不！我不熱，也不要捲起衣袖。」經驗告訴老師，她非查個水落石出不可。

「把衣袖捲起來，讓我看看你的手臂。」

「不要，我不要。」蓉蓉幾乎哭了出來。

「別怕，蓉蓉，我祇是想幫助你，不是要傷害你，你知道嗎？保護你也是我的責任，如果你的手臂受了傷，我有責任知道，你是怎麼受傷的。我們要解決問題，必先了解原因，是不是？」

「我祇是跌了一跤，手臂上留了點傷痕，所以——」

「你的眼睛告訴我，你在說謊，說真話，蓉蓉，**Please**。」

「不！我不能跟你說，我真的不能。」

「你遇到什麼困難？」

「——」

「如果是因爲我問的問題，而引起你的恐懼，那就不是我問你的目的了。正相反，我問你的目的，就是要幫助你解除恐懼，保護你不再受到傷害，你懂嗎？」

「我！我還是不敢說。」

「你必須說，難道你要我叫校警來幫助你嗎？」老師靜靜地看著這個可愛的東方小女孩，臉上的表情非常複雜。

「我說了，你不會告訴別人吧？」

「我不會告訴同學們，但我會跟必須要知道的人說。」

「別讓我媽知道，好嗎？」

「那要看是什麼事情，有必要讓她知道的事，我還是要讓她知道，比方說，你母親打傷了你。」

「她會恨我的。」

「也許你母親不知道美國的法律，她知道了，就不會打你，因爲美國的法律是禁止父母毆打兒童的，那是對兒童的虐待，你知道嗎？」老師將蓉蓉拉到自己的身邊。

「我還是很害怕。」

「讓我看看你的手臂吧？」

蓉蓉已無從逃避，祇得捲起衣袖，被不求人抽到的皮膚，已發炎紅腫，老師顯得很激動，原本柔和的眼光，突然變得犀利嚴肅起來。

「這不是跌傷，而是你母親打的傷痕。」

蓉蓉默然不語地低下頭去。

六

晚飯後蓉蓉交給阿春一封老師寫給家長的信，內容涉及到阿嬌毒打女兒蓉蓉，並警告阿嬌，如再有同類事情發生，將移請檢察官偵辦。

當阿嬌從廚房回到客廳，看到阿春讀信時的神情，已意識到發生了什麼事，這事應該與自己打蓉蓉有關，她遲疑著不敢問信的內容，故意拿話來與阿春搭訕。

「你是不是讀台灣女朋友的情書？這麼用功。」

「如果是情書倒還好，怕祇怕，有一天你會被檢察官傳去受審，這是蓉蓉老師寫給你的警告信。」

「那不是正合了你的心意嗎？你早就巴不得我去坐牢。」

「你去坐牢對我有什麼好？」

「你那天不咒我幾遍，坐牢、坐牢、坐你個死啊！我早就知道你心裡的不平衡，人家的太太都是大學畢業，祇有你的老婆是個國中生，常常給你丟人現眼。」

「你扯到那裡去了，我才說了一句，你就扯出一籮筐，你說點正經的行嗎？不要這麼胡攪歪纏。」

「好呀，我不跟你胡攪歪纏，你說，我犯了什麼法，你判我個罪名啦。」

「阿嬌，這不是吵架可以解決的，我們必須心平氣和的溝通，你懂嗎？」

「我不心平氣和，是我不願心平氣和嗎？你想想看，我們來美國爲的是什麼？不都是爲了孩子嗎。爲了他們將來進大學，爲了他們將來找工作，左是爲了他們，右也是爲了他們。爲了他們，我們反變成了惡人，不能管他們了，你叫我如何嚥得下這口氣。」

「不是不能管，而是要改變管的方式，那種傳統的打罵教育，美國不允許。」

「你我不都是被打大的嗎？有什麼不對，有誰怨過恨過我們的父母，現在倒好，動不動就去告洋狀，蓉蓉，你給我出來。」

「幹嗎?你又要發神經了。」

「我要問問她，我這個做媽的，那一點對不起她，她竟然去老師那裡告狀。」

「不用問，她已經告訴我了。」

「看吧!你總是護著她，蓉蓉不聽話，都是你慣出來的。」

「中國人的孩子，天生都是孝順的種，蓉蓉怕被老師發現，還特地穿上長袖襯衫，你沒看，今天天氣這麼熱，這裡的老師都是訓練有素的，孩子在家裡受到虐待，就是想瞞也瞞不過老師的法眼，何況蓉蓉的穿著就反常，老師還能不知道。」

「你剛才說什麼?說我虐待，我一天到晚做死做活，倒成了個惡媽媽了，你們父女還有良心沒有?」阿嬌愈說愈傷心，禁不住眼淚汪汪地哭起來。

「阿嬌，你的辛苦別說是我，就是孩子們也都知道。你不看別的，祇看他們平日裡做功課，什麼時候讓你操過心了，這不說明他們都愛你嗎?」

「我不稀罕他們的愛，祇別惹我生氣，我就阿彌陀佛了，你也是。」

「我們不談這些好嗎?反正老師的信，也祇是提醒我們別再打她就好了。」

「在台灣的時候，你口口聲聲說，美國是個自由國家，我問你，你嘴裡的那個自由，到那裡去了?」

「這與你打孩子跟本是兩回事。」

「在台灣，我起碼有權管我自己的孩子，就是打孩子，又有誰敢來管我。現在好了，變成打孩子就犯法了，真是活見鬼。」

「阿嬌，我能體會出，你心裡的不平衡。不錯，正如你說的，我們都是被打大的，也都沒有怨恨，那不等于我們心甘情願，在當時，你我也曾在內心中吶喊過，不公平，不合理。難道，我們還要把那種不講道理，把孩子當做發泄工具的教育方式，再傳下去嗎？」

「你認爲我也是把女兒當做發泄的工具？」

「難道不是嗎？孩子有什麼錯呢？錯的應該是你和我呀！」

「阿春，你不要說了，我知道你在想什麼，你轉彎抹角，就是要把全部的錯都推給我。」

「蓉蓉才不過一個十歲的孩子，你把全部的錯都推給她，就公平嗎？阿嬌，俗語說『已所不欲，勿施于人。』我們再也不能用那種傳統的教育方式了。」

「我真後悔，我來這個鬼地方做什麼。」

「來這裡就是爲了讓孩子們接受美國民主法治的洗禮，訓練他們從小做一個知法守法的未來中國人。」

「簡直是活見鬼，你開口也是法，閉口也是法，法來法去，都罰到自已頭上來了。」

「美國的法律，對你，也許你覺得它不公平不合理，但它卻是爲了大多數人的公平合理而訂的。阿嬌，我們要在這裡住，就必須要去懂得它，和習慣去遵守它。」

「我——阿春——」

阿嬌突然縱身撲進阿春懷裡，痛哭失聲。

阿春也緊緊地將阿嬌摟住。